Gutachten B
zum 68. Deutschen Juristentag
Berlin 2010

Verhandlungen des 68. Deutschen Juristentages

Berlin 2010

Herausgegeben von der

Ständigen Deputation

des Deutschen Juristentages

Band I

Gutachten

Teil B

Abschied vom Normalarbeitsverhältnis?

Welche arbeits- und sozialrechtlichen Regelungen empfehlen sich im Hinblick auf die Zunahme neuer Beschäftigungsformen und die wachsende Diskontinuität von Erwerbsbiographien?

Gutachten B

zum 68. Deutschen Juristentag

Erstattet von

Prof. Dr. Raimund Waltermann

Direktor des Instituts für Arbeitsrecht und Recht der Sozialen Sicherheit der Rheinischen Friedrich-Wilhelms-Universität Bonn

Verlag C. H. Beck München 2010

Verlag C.H.Beck im Internet:
beck.de

ISBN 978 3 406 60192 7

Wilhelmstraße 9, 80801 München
Druck: Druckerei C.H.Beck Nördlingen
(Adresse wie Verlag)

Gedruckt auf säurefreiem, alterungsbeständigem Papier
(hergestellt aus chlorfrei gebleichtem Zellstoff)

Inhaltsverzeichnis

A. Problemstellung .... B 9

I. Zunahme der atypischen Beschäftigung und der Kleinen Selbständigkeit .... B 9

II. Zunehmende Diskontinuität von Erwerbsbiographien .... B 10

III. Begriffsklärung .... B 11

IV. Hintergründe .... B 13

V. Zahlen .... B 17

VI. Europäische Gemeinschaft .... B 20

VII. Untersuchungsumfang und Ausgliederung .... B 21

B. Grundlagen und Herausforderungen – Problemdarstellung .. B 23

I. Atypische Beschäftigungsverhältnisse: Befunde, Kritikpunkte, Folgerungen .... B 23

1. Teilzeitbeschäftigung, insbesondere geringfügige Beschäftigung .... B 23

a) Teilzeitbeschäftigung .... B 23

aa) Hintergrund und Zahlen .... B 23

bb) Rechtsgrundlagen .... B 24

cc) Vorteile und Nachteile .... B 25

dd) Folgerungen .... B 26

b) Geringfügige Beschäftigung .... B 27

c) Tatsächliche Entwicklungen und Erträge bei geringfügiger Beschäftigung .... B 28

aa) Zahlen .... B 28

bb) Verteilung .... B 29

cc) Entgelte und Vorsorge .... B 30

d) Rechtliche Rahmenbedingungen der geringfügigen Beschäftigung .... B 32

aa) Diskriminierungsverbot .... B 32

bb) Paradigmenwechsel im Jahr 2003 .... B 33

cc) Krankenversicherung .... B 34

dd) Kurzer Rechtsvergleich, Gemeinschaftsrecht .... B 34

e) Bilanz im Hinblick auf die Abgabenprivilegierung ...... B 35

f) Folgerungen und Empfehlungen .... B 40

aa) Änderung der Rechtslage .... B 40

bb) Verfassungsmäßigkeit .... B 41

cc) Akzeptanzprobleme .... B 41

dd) Notwendige rechtliche Anpassungen .... B 41
ee) Beitragsrechtliche Gleitzone .... B 42
2. Leiharbeit .... B 43
a) Tatsächliche Entwicklungen und Erträge .... B 43
b) Entwicklung der rechtlichen Rahmenbedingungen ..... B 48
c) Änderungsbedarf aufgrund der RL 2008/104/EG .... B 51
d) Kritische Stellungnahme .... B 52
e) Bilanz und Folgerungen .... B 57
f) Empfehlungen .... B 62
3. Befristetes Arbeitsverhältnis .... B 64
a) Hintergrund .... B 64
b) Rechtsgrundlagen .... B 65
c) Bewertung .... B 66
d) Empfehlung .... B 68
II. Das Phänomen ertragsschwacher Arbeitsverhältnisse .... B 70
1. Ausgangspunkt .... B 70
2. Tatsächliche Entwicklungen und Erträge .... B 71
a) Ausgangspunkt .... B 71
b) Niedriglohn und Armutsgefährdung .... B 73
c) Niedriglohn und Grundsicherung für Arbeitsuchende ..... B 73
3. Rechtliche Rahmenbedingungen .... B 75
a) Verbot sittenwidriger Vergütung .... B 75
b) Das Konzept branchenbezogener Mindestlöhne .... B 77
aa) Ausgangslage .... B 78
bb) Wesentliche Elemente der Neuregelungen .... B 79
cc) Kritikpunkte .... B 81
dd) Bewertung .... B 84
4. Allgemeiner Mindestlohn? .... B 84
a) Sozialrechtliche Transferleistungen und Arbeitsentgelt ..... B 85
b) Marktsituation am Arbeitsmarkt im Niedriglohnbereich? ..... B 88
c) Verfehlte Abstimmung mit Zivilrecht und Sozialrecht B 89
d) Mindestlohn und Arbeitslosigkeit .... B 92
5. Empfehlungen .... B 94
a) Mindestlöhne im Ausland, insbesondere in Europa ..... B 94
b) Verfassungsrecht .... B 96
c) Ausgestaltung .... B 99
III. Neue Selbständigkeit .... B 101
1. Problemskizze und Themenbezug .... B 101
2. Wesentliche Ergebnisse .... B 102

C. Perspektiven einer Entwicklung der Arbeitsbeziehungen und der sozialen Sicherheit .... B 104
I. Ausgangspunkt .... B 104
II. Deregulierung des Normalarbeitsverhältnisses zur Eindämmung atypischer Beschäftigung? .... B 109
III. Perspektiven des (Normal-)Arbeitsverhältnisses .... B 111
IV. Modell der Arbeitsbeziehungen .... B 112

Thesen .... B 116

A. Problemstellung

I. Zunahme der atypischen Beschäftigung und der Kleinen Selbständigkeit

1. In vielen Mitgliedstaaten der Europäischen Union hat die Präsenz des Normalarbeitsverhältnisses seit den 1990er Jahren abgenommen, und der Anteil „neuer Beschäftigungsformen" ist (unterschiedlich stark) angestiegen.[1] In Deutschland, Italien, Dänemark und Großbritannien liegt er heute bei etwa einem Drittel der Beschäftigten. Dabei ist der Anteil der verschiedenen Formen der Beschäftigung an dem Gesamtbild in den einzelnen Mitgliedstaaten unterschiedlich. In den Niederlanden etwa ist die Teilzeitbeschäftigung beinahe Normalität, in Italien ist von jeher die kleine Selbständigkeit weit verbreitet. Insgesamt gesehen bestehen deutliche Unterschiede in der Zusammensetzung und in der Entwicklung der Beschäftigung in den einzelnen Ländern.

2. Mit der Zunahme der allgemein sog. „atypischen Beschäftigungsverhältnisse" verbindet sich die Frage, ob diese und die daneben zu beobachtende Zunahme „Kleiner Selbständigkeit" sowie die Zunahme gering entlohnter Tätigkeiten zu einer problematischen Abkehr vom Normalarbeitsverhältnis im bisher prägenden Zuschnitt führen, die man aufhalten oder durch Gestaltung flankieren müsste.[2] Die Frage hat nicht nur für die *Entwicklung der Arbeitsbeziehungen* Bedeutung. Weil in Deutschland die sozialversicherungsrechtliche Absicherung seit *Bismarck* an die Beschäftigung in abhängiger Arbeit anknüpft, stellen sich Fragen automatisch auch im Hinblick auf die *Zukunft der sozialen Vorsorge.* Vor allem die gesetzliche Rentenversicherung vermittelt ihr Sicherungsniveau in Anknüpfung

---

[1] Vgl. z.B. die Statistiken bei Eurostat (Hrsg.), Labour Force Survey, abrufbar unter epp.eurostat.ec.europa.eu (ab 1998); Europäische Stiftung zur Verbesserung der Lebens- und Arbeitsbedingungen (Hrsg.), Vierte Europäische Erhebung über die Arbeitsbedingungen, 2008, S. 7f.

[2] Früh in diesem Sinn *Mückenberger*, ZSR 1985, 415ff. und 457ff. Kritisch gegenüber der Tendenz zur Ausweitung atypischer Beschäftigung auch der *Sachverständigenrat* in seinem Jahresgutachten 2008/09, vgl. Statistisches Bundesamt (Hrsg.), Sachverständigenrat zur Begutachtung der gesamtwirtschaftlichen Entwicklung, Jahresgutachten 2008/09, 2008, S. 266f., 300ff. Überblick aus jüngerer Zeit z.B. bei *Keller/ Seifert*, ApuZ 2009, 40ff.

an Erwerbsbiographien, die in einem Normalarbeitsverhältnis zurückgelegt werden. Auch der Krankenversicherungsschutz setzt ein Beitragsaufkommen voraus, welches bei neuen Beschäftigungsformen auf der Grundlage der geltenden Beitragsbemessung aus verschiedenen Gründen meist hinter dem Erforderlichen zurückbleibt, was die Einnahmenbasis der Krankenkassen schmälert. Mit Kleiner Selbständigkeit verbindet sich vielfach keine hinreichende Absicherung der sozialen Risiken; von der gesetzlichen Sozialversicherung wird Kleine Selbständigkeit nach inzwischen verbreiteter Auffassung nicht mehr zeitgemäß erfasst.

II. Zunehmende Diskontinuität von Erwerbsbiographien

Zugleich ist vor allem wegen der Arbeitsmarktlage eine zunehmend häufigere Diskontinuität der Erwerbsbiographien Realität; Arbeitnehmer erreichen längst nicht mehr in demselben Betrieb, in dem sie ihre Lehre anfingen, auch die Altersgrenze für den Übertritt in den Ruhestand. Welche Auswirkungen Brüche in der Erwerbsbiographie, von Beitragsausfällen in den Sicherungssystemen abgesehen, vor allem für die Absicherung im Rentenalter vieler Einzelner haben, wird sich in den nächsten Jahren zunehmend zeigen, vor allem in den neuen Bundesländern. Dort werden bald nicht mehr die Erwerbsbiographien mit langen Versicherungszeiten vorherrschen, sondern es werden durch Arbeitslosigkeit und niedrige Entgelte gekennzeichnete Lebensläufe zunehmend die Rentenleistungen prägen. Die häufiger gewordene Diskontinuität von Erwerbsbiographien ist langfristig vor allem für die Altersversorgung relevant. Altersarmut wird wieder mehr Bedeutung bekommen. Darin liegt nicht nur eine Problematik von grundsätzlicher gesellschaftlicher Bedeutung. Zu erwarten ist auch eine hohe finanzielle Belastung des zukünftigen Steueraufkommens, aus dem die subsidiäre Mindestsicherung finanziert wird. Das mag folgendes (nicht singuläre) Beispiel andeuten: Die bei längerer Arbeitslosigkeit aus der Grundsicherung an die Rentenversicherung zu entrichtenden Beiträge auf der Basis von derzeit 205 € monatlich (§ 166 I Nr. 2a SGB VI) begründen eine monatliche Rente pro Jahr des Bezugs von Arbeitslosengeld II in Höhe von 2,17 €. *Von vornherein* schiebt dies das Finanzierungsproblem an die nächste Generation weiter. Die Frage, ob ein mit einem höheren Rentenversicherungsbeitrag aus Transfermitteln der Gegenwart verbundener späterer Renten*anspruch* im Umlageverfahren demnächst (bei hinreichender Prosperität insgesamt) valutiert werden könnte, stellt sich nicht, die Valutierung bleibt ohne weiteres dem Steueraufkommen der Zukunft überantwortet.

Im Einzelnen führen Zeiten geringfügiger Beschäftigung, Zeiten mit niedrig entlohnter sozialversicherungspflichtiger Beschäftigung, Zeiten der Arbeitslosigkeit (und auch der gegenwärtigen Kurzarbeit zur Abfederung der Auswirkungen der Finanzmarktkrise, vgl. § 163 VI SGB VI) und Zeiten in Kleiner Selbständigkeit ohne hinreichenden Ertrag zu Lücken und geringeren Beitragszahlungen in den Versicherungsverläufen. Zusammen mit dem Abbau des Leistungsniveaus in der gesetzlichen Rentenversicherung (vgl. nur § 154, insbes. § 154 III SGB VI) wird dies dazu führen, dass die Zahl der Älteren mit geringen Rentenansprüchen steigt.[3] Diese Versicherten werden die wachsenden Vorsorgelücken mangels hinreichenden Einkommens nicht durch eine private Altersvorsorge schließen können und entsprechend geringere Anwartschaften in betrieblichen Altersversorgungswerken begründen. Zahlen vermitteln eine Anschauung: Wer, unter heutigen Bedingungen mit dem für das zweite Halbjahr 2009 gültigen Werten gerechnet, als alleinstehender Arbeitnehmer ohne Kinder in Westdeutschland vor dem Hintergrund des Durchschnittsentgelts aller Versicherten 45 Jahre lang bei einer 40-Stunden-Woche einen Stundenlohn von 7,50 € brutto bekommt, erzielt einen Monatsbruttolohn von rund 1300 €, also 0,5052 Entgeltpunkte pro Jahr, damit bei einem aktuellen Netto-Rentenwert von 27,20 € am Ende eine Monatsrente von rund 620,00 €. Die aus Steuermitteln kommende subsidiäre Grundsicherung als Fürsorgeleistung nach dem SGB II beläuft sich derzeit auf 676,00 € (359,00 € Regelleistung und gemittelte Unterkunftskosten von 317 €), ist also höher, wenn man Wohngeld (bei einer angenommenen Miete von 317 €: 99,00 €) unberücksichtigt lässt. Um rund 678,00 € Rente zu erreichen, müsste man *ceteris paribus* 8,20 € verdienen.

III. Begriffsklärung

1. Die in den letzten Jahren gewachsenen, insoweit „neuen" Beschäftigungsformen werden in bestimmten Hinsichten allgemein mit dem Begriff der „atypischen Beschäftigung" belegt.[4] Was als atypische Beschäftigung zu bezeichnen ist, bestimmt sich in Abgrenzung vom Normalarbeitsverhältnis. Anknüpfend an eine weit verbreitete Sichtweise gilt im Folgenden:

a) Das *Normalarbeitsverhältnis* ist gekennzeichnet durch eine Vollzeittätigkeit oder eine Teilzeittätigkeit mit mindestens der Hälfte der üblichen Wochenarbeitszeit bei Vollzeittätigkeit. Das Normalarbeitsverhältnis ist ferner unbefristet, es begründet die Verpflichtung zur Arbeit beim Vertragspartner (und nicht bei einem „Entleiher-Arbeitgeber"), und das Normalarbeitsverhältnis ist in die Systeme der sozialen Sicherheit integriert.

b) Von diesem Ausgangspunkt wird verbreitet eine *Teilzeitbeschäftigung* als atypische Beschäftigung angesehen, wenn die Be-

[3] Vgl. auch Statistisches Bundesamt (Hrsg.), Sachverständigenrat zur Begutachtung der gesamtwirtschaftlichen Entwicklung, Jahresgutachten 2007/08, 2007, S. 192ff.

[4] Siehe stellvertretend nur *Sachverständigenrat* (Fn. 2), S. 301 ff.

schäftigung einen Zeitumfang von 20 oder weniger Stunden hat.[5] Dabei liegt auf der Hand, dass unbefristete Teilzeitbeschäftigung, soweit sie danach als atypische Beschäftigung zu gelten hat und deren Anwachsen mitverursacht, für sich genommen am Ende die wenigsten Probleme aufwerfen wird. Dass ihr Ertrag hinter dem einer vergleichbaren Vollzeitbeschäftigung zurückbleibt, versteht sich von selbst, und dass abgeleitete Beitragsleistungen zu den Zweigen der Sozialversicherung geringer ausfallen als bei einem Normalarbeitsverhältnis, ist selbstverständlich. Halbe Arbeit hat auch bei gut entwickelten Arbeitsbeziehungen und einem funktionierenden System der sozialen Sicherheit nur halben Ertrag. Innerhalb der Teilzeitbeschäftigung sind in der Bundesrepublik Deutschland, nicht in anderen Ländern, bestimmte Fälle *geringfügiger Teilzeitbeschäftigung* von Bestimmungen des Rechts der sozialen Sicherheit ausgenommen; die damit verbundene Abgabenprivilegierung der geringfügigen Beschäftigung wird seit längerem insbesondere in der wirtschaftswissenschaftlichen Diskussion kritisch hinterfragt. Darauf ist ausführlich einzugehen.

c) Als atypische Beschäftigung gelten sodann die Beschäftigung in einem *befristeten Arbeitsverhältnis* und die Beschäftigung als *Leiharbeitnehmer*. Zwar werden Leiharbeitsverhältnisse überwiegend unbefristet eingegangen und sind sozialversicherungspflichtig. Die Sondersituation aufgrund der „gespaltenen Arbeitgeberstellung" ist jedoch augenfällig, und die begriffliche Einordnung vom Ausgangspunkt des traditionellen Normalarbeitsverhältnisses nimmt wegen des eingenommenen Blickwinkels im Blick auf die Beurteilung und Bewertung auch der Leiharbeit nichts vorweg.[6] Schließlich werden üblicherweise *Saisonarbeit, Heimarbeit* und *Abrufarbeit* zu den atypischen Beschäftigungsformen gezählt. Das Grünbuch der Kommission der Europäischen Gemeinschaften „Ein modernes Arbeitsrecht für die Herausforderungen des 21. Jahrhunderts" vom 22. 11. 2006,[7] das sich mit den atypischen Beschäftigungsformen intensiv befasst, nennt ferner *Null-Stunden-Verträge* und *Freelance-Verträge.*[8]

2. Bei allen Formen der atypischen Beschäftigung handelt es sich um Beschäftigung *auf der Grundlage eines Arbeitsverhältnisses;* die Selbständigkeit ist nicht atypische Beschäftigung in diesem Sinn. Selbständigkeit ist im hier gegebenen Zusammenhang jedoch insofern von Bedeutung, als es sich innerhalb der großen Bandbreite ih-

[5] Vgl. Statistisches Bundesamt (Hrsg.), Niedrigeinkommen und Erwerbstätigkeit, Begleitmaterialien zum Pressegespräch am 19. 8. 2009 in Frankfurt a. M., S. 5, abrufbar unter www.destatis.de. Natürlich könnte man die Grenze auch anders ziehen.

[6] Vgl. auch *Sachverständigenrat* (Fn. 2), S. 301.

[7] KOM (2006) 708 endgültig.

[8] A. a. O. S. 8.

rer Erscheinungsformen um „*Kleine Selbständigkeit*" handelt, die im Hinblick auf ihre Erträge nicht oder nur wenig geeignet ist, auf Dauer den Lebensunterhalt einschließlich der Absicherung der von der gesetzlichen Sozialversicherung erfassten Lebensrisiken, insbesondere die ordnungsgemäße Alterssicherung, zu gewährleisten. Dabei ist die Kleine Selbständigkeit in der Gestalt einer sog. „Solo-Selbständigkeit" auch durch das arbeitsmarktpolitische Instrument der Förderung von Existenzgründungen („Ich-AG") zu größerer Bedeutung gelangt.

3. Atypische Beschäftigung und *prekäre Beschäftigungssituation*[9] sind nicht deckungsgleich. Das verdeutlicht ohne weiteres die freiwillig gewählte, unbefristete Teilzeitbeschäftigung zur Vereinbarung von Beruf und Familie, wenn das Familieneinkommen insgesamt gesehen gesichert ist. Wie sich zeigen wird, ist die atypische Beschäftigung in der Wirklichkeit jedoch häufig im Sinn einer prekären Beschäftigungssituation entwickelt. Atypische Beschäftigung und Kleine (Solo-)Selbständigkeit sind verbreitet mit verhältnismäßig geringerem Ertrag der Arbeit und geringerer sozialer Absicherung verbunden.[10] Alle atypischen Beschäftigungsformen schneiden bei typisierender Betrachtung im Hinblick auf ihren Ertrag am Ende vergleichsweise schlechter ab als Normalarbeitsverhältnisse.

Von einer prekären Beschäftigungssituation ist auszugehen, wenn das Beschäftigungsverhältnis nicht geeignet ist, auf die Dauer den Lebensunterhalt einer Person einschließlich der sozialen Absicherung zu gewährleisten.[11] Diese Situation tritt allerdings nicht nur bei atypischer Beschäftigung in Arbeitsverhältnissen und bei Kleiner Selbständigkeit auf. Deshalb ist auch die Vollzeitbeschäftigung Gegenstand der Untersuchung, soweit ihre Erträge im *Niedriglohnsektor* zu gering bleiben, um die gesellschaftstypische Existenz sichern zu können; auch bei dieser Sachlage kann es um eine Abkehr vom Normalarbeitsverhältnis in seiner bisher prägenden Gestalt gehen.

IV. Hintergründe

1. Seit dem Beginn der neunziger Jahre führt nicht nur eine *Veränderung der tatsächlichen Verhältnisse* durch äußere Umstände, insbesondere durch die Situation am Arbeitsmarkt und in der Folge durch vertragliche Gestaltung, zu einer Abnahme der den Lebensstandard sichernden Normalarbeitsverhältnisse und zum Aufbau

---

[9] Vgl. *Dörre*, Arbeit, Zeitschrift für Arbeitsforschung, Arbeitsgestaltung und Arbeitspolitik, 2006, 181 ff.; Überblick aus neuerer Zeit bei *Keller/Seifert*, (Fn. 2), 40 (43 f.); Statistisches Bundesamt (Hrsg.) (Fn. 5).

[10] Daten und Fakten auf neuem Stand: Statistisches Bundesamt (Hrsg.) (Fn. 5).

[11] Vgl. Statistisches Bundesamt (Hrsg.) (Fn. 5), S. 6.

atypischer Beschäftigungsformen, zu ertragsschwachen Normalarbeitsverhältnissen und zu ertragsschwacher Kleiner Selbständigkeit. Auch *Veränderungen der Rechtslage* tragen hierzu bei: Seit den frühen neunziger Jahren zeigt sich eine Tendenz der Lockerung von Rechtsbestimmungen durch die Gesetzgeber auch anderer Mitgliedstaaten der EU. In diesem Sinn hat in Deutschland zuletzt vor dem Hintergrund einer registrierten Arbeitslosigkeit von rund 4 Mio. (2003) die rot-grüne Bundesregierung in der 15. Legislaturperiode im Rahmen ihrer *„Agenda 2010"* das Arbeitsrecht und das Sozialrecht durch Lockerung von Regulierungen reformiert.[12] Diese Reformen sind auch dadurch gekennzeichnet, dass man die Flexibilität „an den Rändern" durch die Erleichterung atypischer Beschäftigungsformen mit geringerem Schutz durch Arbeitsrecht und Sozialrecht erhöht hat. Man wollte den Einsatz von Leiharbeit, befristeter Beschäftigung, abgabenprivilegierter geringfügiger Beschäftigung und Teilzeitbeschäftigung *mit dem Ziel einer Steigerung der Beschäftigung* ausweiten.

Die genannten wesentlichen Erscheinungsformen der atypischen Beschäftigung weisen, wie noch näher darzulegen sein wird, zusammengefasst dieselbe Entwicklung des rechtlichen Rahmens auf, nicht nur in Deutschland: Die zunächst (aus unterschiedlichen Gründen und mehr oder weniger) ablehnende Haltung gegenüber der Leiharbeit, der Befristung von Arbeitsverhältnissen oder gegenüber der Teilzeitbeschäftigung, in Deutschland gegenüber der geringfügigen Teilzeitbeschäftigung, wird überwunden, diese atypischen Beschäftigungsformen werden zu einem akzeptierten Phänomen und zuletzt zum Teil zu einem beschäftigungspolitischen Instrument entwickelt. Letzteres gilt gemeinschaftsweit für die Leiharbeit, in Deutschland ferner für die geringfügig entlohnte abgabenprivilegierte Teilzeitbeschäftigung, und in Ansätzen begegnet dies, wie für Deutschland § 14 III TzBfG insbesondere in der vom EuGH beanstandeten früheren Fassung[13] belegt, bei der Befristung des Arbeitsverhältnisses. Diese Veränderung der rechtlichen Rahmenbedingungen ist auch Reaktion der Politik auf eine seit langem geübte Kritik mit dem Vorwurf zu unflexibler, verkrusteter Arbeitsmärkte und der damit verbundenen *Kernforderung nach einer Deregulierung* des Arbeitsrechts. Die Forderung nach einer Deregulierung des Arbeitsrechts richtete sich dabei gerade auch auf die neuen Beschäftigungsformen.[14]

---

[12] Für Europa vgl. OECD Employment Outlook 2004, Chap. 2, „Employment Protection Regulation and Labour Market Performance", S. 61 ff. Zur Diskussion um die Jahrtausendwende siehe *Hanau*, Verh. d. 63. DJT 2000, 2000, Gutachten C.

[13] Vgl. *EuGH* 22. 11. 2005 – C-144/04 – NZA 2005, 1345 ff. [„Mangold"].

[14] In diesem Sinn im deutschen Arbeitsrecht besonders nachdrücklich *Picker*, ZfA 2002, 469 ff., der meint, eine veränderte Arbeitswelt zwinge längst dazu, neue und (gegenüber dem „Normalarbeitsverhältnis" als fixierter Idealgestaltung) andersartige Beschäftigungsformen als „Normalfall" für die Zukunft ins Auge zu fassen (a. a. O. S. 472); dahinter steht die – wie darzulegen sein wird zu hinterfragende – Vorstellung eines Arbeitsmarkts im Sinn eines eigentlichen (reinen) Marktes (siehe dazu unten S. 88 f.) und bei der ökonomischen Analyse die Begrenzung des Blicks allein auf den Arbeitsmarkt.

2. Die skizzierte Entwicklung steht ihrerseits vor dem Hintergrund insbesondere des Konkurrenzdrucks im globalen Wettbewerb,[15] der Entstehung neuer Organisationsformen und des Wandels zu einer Dienstleistungsgesellschaft. Die *Zunahme des Anteils niedriger Einkommen* hat mehrere Ursachen.[16] Es verschlechtert sich *erstens* vor dem Hintergrund der Globalisierung die Wettbewerbsposition von gering qualifizierten Erwerbspersonen am Arbeitsmarkt; Arbeitskraft ist weitgehend global austauschbar. Einen Wettbewerb über Lohnkosten werden die Industriestaaten dabei nicht gewinnen können. Erhebliche Bildungsanstrengungen müssen vielmehr die Voraussetzungen dafür schaffen, dass Beschäftigungsverhältnisse mit Qualität und Ertrag entstehen und dauerhaft bestehen bleiben – wie es etwa auf gemeinschaftsrechtlicher Ebene Parlament und Kommission fordern. Auf der anderen Seite erschwert das Fehlen gerechter Arbeitsbedingungen in vielen Teilen der Welt Fortschritt und fördert Unterbietungswettbewerb. Neue Formen des Zusammenwirkens auf internationaler Ebene sind notwendig,[17] praktische Fortschritte bei der Verwirklichung der in zahlreichen internationalen Deklarationen zu den Arbeitsbeziehungen formulierten und theoretisch allseits geteilten weltbezogenen Anliegen sind dringlich geworden. Globalisierung bedarf der ordnenden Gestaltung und der unternehmerischen Verantwortung. Die Geschichte der Industrienationen und der Blick auf die weltweiten wirtschaftlichen und sozialen Verhältnisse legen dabei die Schlussfolgerung nahe, dass nicht durch Zufall nachhaltiger wirtschaftlicher Aufstieg und nachhaltige Verbesserung der sozialen Verhältnisse miteinander verknüpft sind. *Zweitens* nimmt in Deutschland die Tarifbindung tendenziell ab und erreicht gerade die atypische Beschäftigung am wenigsten. Mit dem Strukturwandel hin zu Dienstleistungen verringert sich *drittens* der Ertrag der Beschäftigung.

Es ist nicht überraschend, dass in genau diesem Kontext – Verschlechterung der Wettbewerbsposition von gering qualifizierten Arbeitskräften, abnehmende Tarifbindung allgemein, geringe Tarifbindung in den Bereichen atypischer Beschäftigung, welche im Wesentlichen in Dienstleistungsbranchen zu finden ist – in der 16. Legislaturperiode die Diskussion um die (branchenbezogene) Einführung von Mindestlöhnen geführt worden ist. *Die Diskussion um gesetzliche Mindestlöhne ist der Gradmesser der angedeuteten veränderten Bedingungen in den Arbeitsbeziehungen.* Eine Rolle spielen über diese Hauptpunkte hinaus sodann auch reformierte sozialrechtliche Rahmenbedingungen: Der erhöhte Druck, bei Arbeitslosigkeit zeitnah einen neuen Arbeitsplatz zu finden, erhöht die Akzeptanz von weniger präferierten Arbeitsplät-

---

[15] Vgl. *Sachverständigenrat* (Fn. 2), S. 307.

[16] Vgl. etwa *Rhein*, IAB-Kurzbericht 1/2009, 1 ff.; *Dustmann/Ludsteck/Schönberg*, IZA Discussion Paper No. 2685, 2007.

[17] So auch die Feststellung in *Caritas in veritate*, Enzyklika *Papst Benedikts XVI.*, 2009, Nr. 25, 32.

zen,[18] und die im Jahr 2003 erweiterte Privilegierung geringfügiger Beschäftigung hat dieser atypischen Beschäftigungsform einen Schub gegeben.[19] Schließlich ist in hohem Maß plausibel, dass dort, wo geringer Ertrag der Arbeit sozialrechtlich nach Maßgabe des SGB II durch *Aufstockung aus Steuermitteln kompensiert* wird, Arbeit auch unterhalb des möglicherweise zu erzielenden Marktpreises angenommen wird.[20]

3. Die Anstrengungen, die im Hinblick auf *Ausbildung und Fortbildung* mit Bezug auf die Bereiche niedrig entlohnter Beschäftigung unternommen werden, bleiben bisher hinter dem zur Verbesserung der Konkurrenzfähigkeit im globalen Wettbewerb Erforderlichen zurück. Allerdings verstärkt sich inzwischen in der Wirtschaft das Bewusstsein, dass vor dem Hintergrund der demographischen Entwicklung namentlich gering qualifizierte Jugendliche aus problematischen Verhältnissen für den Einstieg in Beschäftigung und Qualifizierung gewonnen werden müssen.[21] Die Politik müsste hier handeln.

4. Durch die *Finanzmarktkrise* ist erheblicher Druck auf den Arbeitsmarkt entstanden. Es muss erwartet werden, dass sich die mit der Krise verbundenen Auswirkungen längerfristig auf die Arbeitsbeziehungen und auf die Absicherung der sozialen Risiken auswirken werden. Es ist indessen weder möglich, diese Auswirkungen heute abzusehen, noch wäre es sinnvoll, die Frage der nachhaltig zukunftsfähigen Gestaltung der Arbeitsbeziehungen und der sozialen Sicherheit im Hinblick auf das Thema „Normalarbeitsverhältnis, neue Beschäftigungsformen, Diskontinuität von Erwerbsbiographien" sozusagen „in Zeiten der Finanzmarktkrise" zu verhandeln und dafür Empfehlungen zu geben. Es sind *prinzipielle Überlegungen* notwendig, mit welchem *Modell der Arbeitsbeziehungen* man auf längere Dauer Prosperität erreicht. Die durch die Finanzmarktkrise verursachten Verwerfungen und Sachzwänge wird man auf dem Boden eines nachhaltig zukunftsfähigen Modells im Hinblick auf die Arbeitsbeziehungen zu bewältigen haben. Dabei ist in jedem Fall zu bedenken, dass im Zusammenhang mit der Finanzmarktkrise vom Staat eingegangene Sonderverpflichtungen in einer alternden Gesellschaft zusätzliche finanzielle Zukunftsbelastungen mit sich bringen, welche die heute Jungen zu tragen haben werden. Bisher wurden die Auswirkungen der Finanzmarktkrise durch Verschuldung zu Lasten der kommenden Generationen aufgefangen. Die nachfolgenden Darlegungen werden zu dem Ergebnis kommen, dass auch im Zusammenhang mit der hier abzuhandelnden Thematik

[18] Vgl. *Sachverständigenrat* (Fn. 2), S. 305.
[19] *Sachverständigenrat* (Fn. 2), S. 307.
[20] Siehe näher unten S. 88 f.
[21] Siehe die Berichte aus der Praxis in: Personal, Heft 12, Dezember 2009, S. 1, 6 ff., 10 ff., 15 ff.

„Normalarbeitsverhältnis, neue Beschäftigungsformen, Diskontinuität“ unter dem geltenden Recht in beträchtlichem und in der Tendenz steigendem Umfang *Lasten an die Jüngeren weitergewälzt werden*. Beides wird dann zusammenkommen.

V. Zahlen

1. In den letzten zehn Jahren (1998–2008) ist die Zahl der Erwerbstätigen laut Mikrozensus um 6,5% auf 34,7 Mio. gestiegen.[22] Die Zahl der atypischen Beschäftigungsverhältnisse stieg in dieser Zeit um 46,2% und die Zahl der sog. Solo-Selbständigen um 27,8%. Der Anteil der Normalarbeitsverhältnisse ist in dem Zeitraum von 1998 bis 2008 um 3% zurückgegangen. Innerhalb der atypischen Beschäftigungsverhältnisse wuchs die Zahl der geringfügig Beschäftigten um 71,5%.[23] Der Anteil der Normalarbeitsverhältnisse sinkt also, während der Anteil der atypischen Beschäftigungsverhältnisse sowie der Anteil der sog. Solo-Selbständigkeit zunehmen. Im Jahr 1998 waren noch 72,6% der Erwerbstätigen in einem Normalarbeitsverhältnis beschäftigt, im Jahr 2008 betrug dieser Anteil 66,0%.[24] Ob die atypische Beschäftigung unabhängig vom Rückgang der Normalarbeitsverhältnisse entstanden ist oder ob und inwieweit Normalarbeitsverhältnisse durch atypische Arbeitsverhältnisse ersetzt worden sind, lässt sich nicht feststellen. In der Summe arbeiteten 2008 nach den Ergebnissen des Mikrozensus in Deutschland[25] zwei Drittel (66,0%) der Erwerbstätigen im Alter zwischen 15 und 64 Jahren, die nicht in Bildung oder Ausbildung waren, in einem Normalarbeitsverhältnis, 22,2% waren in einem atypischen Beschäftigungsverhältnis tätig, und 11,0% waren selbständig; über die Hälfte der Selbständigen sind sog. Solo-Selbständige ohne Beschäftigte. In absoluten Zahlen gesehen lebten in Deutschland im Jahr 2008 34,7 Mio. Erwerbstätige, 22,9 Mio. befanden sich in einem Normalarbeitsverhältnis und 7,7 Mio. in atypischer Beschäftigung. 3,8 Mio. Erwerbstätige arbeiteten als Selbständige, davon 2,1 Mio. ohne eigene Beschäftigte als sog. Solo-Selbständige.

---

[22] Diese sowie die folgenden Zahlen beziehen sich auf Personen im Alter von 15 bis 64 Jahren, die nicht in Bildung oder Ausbildung sind.

[23] Statistisches Bundesamt (Hrsg.) (Fn. 5), S. 26; *Sachverständigenrat* (Fn. 2), S. 302f., mit Schaubild 71.

[24] Statistisches Bundesamt (Hrsg.) (Fn. 5), S. 26.

[25] Zu den folgenden Zahlen (auch zu 2. u. 3.) Statistisches Bundesamt (Hrsg.) (Fn. 5), S. 7–9, 10ff.

2. Die *Formen atypischer Beschäftigung* sind häufig miteinander verbunden. Leiharbeitsverhältnisse sind nicht selten befristet; das Erwerbseinkommen Teilzeitbeschäftigter mit weniger als 20 Stunden liegt häufig unterhalb der Geringfügigkeitsgrenze. Deshalb lässt sich die Zahl der atypisch Beschäftigten in den einzelnen Formen nicht zu einer Gesamtzahl zusammenziehen. Die Teilzeitbeschäftigten machen die größte Gruppe atypisch Beschäftigter aus. Im Jahr 2008 waren 4,9 Mio. Personen mit weniger als 21 Wochenstunden teilzeitbeschäftigt, 2,7 Mio. Personen waren befristet beschäftigt.

3. Was die *Personenkreise* angeht, sind Frauen sehr viel häufiger in atypischer Beschäftigung tätig als Männer: 2008 waren 34,4% der Frauen und 12,0% der Männer atypisch beschäftigt. Die größte Gruppe atypisch beschäftigter Frauen (26,8% aller erwerbstätigen Frauen) arbeitete 2008 in Teilzeit. Auf der anderen Seite waren mehr Männer selbständig (6,9% mit Beschäftigten und 7,0% ohne Beschäftigte) als Frauen (2,6% mit Beschäftigten bzw. 4,9% ohne Beschäftigte). Festzuhalten ist schließlich, dass atypische Beschäftigung vor allem unter jungen Erwerbstätigen zu finden ist: Unter den 15- bis 24-Jährigen waren 2008 37,3% atypisch beschäftigt, unter den 45- bis 64-Jährigen waren es dagegen 19,8%. Dabei sind 26,9% der Jungen befristet beschäftigt, aber auch der Anteil der 15- bis 24-Jährigen in geringfügiger Beschäftigung und in Zeitarbeit ist größer als in den anderen Altersgruppen. Erwerbstätige ohne einen Berufsabschluss sind häufiger atypisch beschäftigt, aber seltener in Selbständigkeit tätig als Erwerbspersonen mit besserer beruflicher Qualifikation. Selbständigkeit spielt erwartungsgemäß in der Land- und Forstwirtschaft (34,6%) und in der Fischerei (44,6%) eine große Rolle, dabei waren 21,1% der Erwerbstätigen in der Land- und Forstwirtschaft und 23,2% in der Fischerei ohne eigene Beschäftigte selbständig (mithelfende Familienangehörige nicht mitgezählt). Große Anteile der Selbständigkeit finden sich sodann bekanntlich in den Wirtschaftszweigen Erbringung öffentlicher und persönlicher Dienstleistungen (23,2%), Grundstückswesen und Unternehmensdienstleistungen (20,1%), Baugewerbe (18,6%) sowie Gastgewerbe (18,3%), wobei die Anteile der sog. Solo-Selbständigkeit verschieden groß sind.

4. Die verdienten *Entgelte* atypisch Beschäftigter liegen im Durchschnitt deutlich unter den Entgelten, die im Normalarbeitsverhältnis erarbeitet werden.[26]

a) Abhängig Beschäftigte verdienten im Oktober 2006 durchschnittlich 16,63 € (Männer 18,50 €, Frauen 14,26 €, in den alten Bundesländern 17,22 €, in den neuen

---

[26] Siehe zu allem Nachfolgenden wiederum Statistisches Bundesamt (Hrsg.) (Fn. 5), S. 13ff.

Bundesländern 13,51 €) als Brutto-Stundenverdienst. Atypisch Beschäftigte verdienten im Jahr 2006 im Durchschnitt etwa ein Drittel weniger als in einem Normalarbeitsverhältnis Beschäftigte: Der durchschnittliche Brutto-Stundenverdienst lag für Beschäftigte im Normalarbeitsverhältnis bei 18,04 €, atypisch Beschäftigte verdienten im Durchschnitt 11,98 €. Dabei unterscheiden sich die einzelnen Formen atypischer Beschäftigung zum Teil erheblich. Am größten sind die Unterschiede zum Normalarbeitsverhältnis bei Beschäftigung in der Leiharbeit (9,71 €) und bei geringfügiger Beschäftigung (8,98 €). Natürlich ist nicht nur die atypische Form der Beschäftigung an sich ursächlich für die geringeren Entgelte; eine Rolle spielen auch die Qualifikationsprofile der atypisch Beschäftigten, was sich insbesondere im Bereich der geringfügigen Beschäftigung zeigt.

b) Fast die Hälfte der atypisch Beschäftigten bezieht ein Brutto-Entgelt *unterhalb der Niedriglohngrenze.* Was begrifflich als *Niedriglohn* bezeichnet wird, richtet sich nach einem inzwischen weitgehend etablierten (auch von der OECD und der internationalen Arbeitsorganisation ILO) angewandten Maßstab. Danach liegt die Grenze zum Niedriglohn bei *zwei Dritteln des Median-Verdienstes.* Auch das Statistische Bundesamt folgt dieser Methode. Der Niedriglohn wird bei Anwendung dieses Maßstabs in einer Relation zur Verteilung des Verdienstes aller abhängig Beschäftigten bestimmt. Bei Anwendung dieses Maßstabs betrugen im Jahr 2006 zwei Drittel des Median-Verdienstes 9,85 €.[27] 49,2% der atypisch Beschäftigten erzielten einen Arbeitsverdienst unterhalb dieser Niedriglohngrenze; der Anteil bei Beschäftigten in einem Normalarbeitsverhältnis war mit 11,1% deutlich geringer. Bezogen auf alle Arbeitnehmer lag der Anteil der unterhalb der Niedriglohngrenze Vergüteten bei 20,0%. Der Anteil abhängig beschäftigter Frauen mit einem Niedriglohn (27,2%) lag etwa doppelt so hoch wie der Anteil der Männer (14,3%). Das hat zwei Gründe: Der Anteil der Frauen in schlechter bezahlten atypischen Beschäftigungsverhältnissen liegt höher als der Anteil der Männer; auch im Normalarbeitsverhältnis beziehen Frauen (16,7%) häufiger einen Niedriglohn als Männer (7,7%).[28] Der Anteil der Beschäftigten, die Entgelt unterhalb der Niedriglohngrenze beziehen, hat zwischen 2001 und 2006 um 3% zugenommen.[29] Dabei blieb der Anteil der zu Niedriglöhnen Beschäftigten im Normalarbeitsverhältnis nahezu unverändert; ursächlich ist im Wesentlichen die gestiegene Zahl atypischer Beschäftigungsverhältnisse.

5. Was die *Armutsgefährdung im Haushaltskontext* betrifft,[30] ist bei allen Formen atypischer Beschäftigung ein Anstieg des Armutsrisikos zu beobachten. Zwar ist der Anteil der Armutsgefährdeten im Zeitraum zwischen 1998 und 2008 in allen Beschäftigungsformen angestiegen, dieser Anstieg fiel bei im Normalarbeitsverhältnis Beschäftigten aber sehr gering aus (0,1%), während bei den atypisch Beschäftigten der Anteil der Beschäftigten unterhalb der Armutsschwelle[31] von 9,8% auf 14,3% anstieg.

---

[27] Statistisches Bundesamt (Hrsg.) (Fn. 5), S. 15.

[28] Vgl. zu allem Statistisches Bundesamt (Hrsg.) (Fn. 5), S. 13 ff.

[29] Zur Berechnung und zu dem Folgenden siehe Statistisches Bundesamt (Hrsg.) (Fn. 5), S. 19.

[30] Vgl. dazu im Einzelnen Statistisches Bundesamt (Hrsg.) (Fn. 5), S. 21 ff.

[31] Armutsgefährdet ist nach dem auch vom Statistischen Bundesamt zugrunde gelegten Konzept der relativen Einkommensarmut, wer weniger als 60% des Mitteleinkommens (Median) zur Verfügung hat; bei der Berechnung wird das Äquivalenzeinkommen zugrunde gelegt, welches die Haushaltsstruktur berücksichtigt, vgl. Statistisches Bundesamt (Hrsg.) (Fn. 5), S. 23 f.

VI. Europäische Gemeinschaft

1. Schon bevor der Europäischen Gemeinschaft mit dem Vertrag von Maastricht Kompetenzen auf dem Gebiet der Sozialpolitik gegeben wurden, haben im Zusammenhang mit dem Anliegen der Verbesserung der Lebens- und Arbeitsbedingungen der Arbeitnehmer in der Europäischen Gemeinschaft *gerade atypische Beschäftigungsformen eine Rolle gespielt:* Die Gemeinschaftscharta der Sozialen Grundrechte der Arbeitnehmer von 1989 hebt in ihrer Nummer 7 die atypischen Beschäftigungsformen der befristeten Arbeitsverhältnisse, der Teilzeitbeschäftigung, der Leiharbeit und der Saisonarbeit als Gegenstand der Rechtsangleichung besonders hervor. Es folgten 1990 drei Richtlinienentwürfe über atypische Beschäftigungsformen (Teilzeitarbeit, befristete Arbeitsverhältnisse, Leiharbeit).[32] Zu Ergebnissen kam es nach dem Vertrag von Maastricht von 1992 unter Beteiligung der Sozialpartner durch Verabschiedung von Rahmenvereinbarungen über Teilzeitbeschäftigung und befristete Arbeitsverhältnisse, die in der Folge zum Abschluss der umgesetzten RL 97/81/EG über Teilzeitarbeit und 1999/70/EG über befristete Arbeitsverhältnisse führten.[33] Auch was die Leiharbeit angeht, wurde auf gemeinschaftsrechtlicher Ebene Regelungsbedarf bereits Ende der siebziger Jahre erkannt,[34] die Verabschiedung der RL 2008/104/EG gelang jedoch erst im November 2008.[35]

2. Das *Grünbuch* der Kommission vom 22. 11. 2006[36] bezweckt die Einleitung einer öffentlichen Debatte in der Europäischen Gemeinschaft dazu, wie durch Weiterentwicklung des Arbeitsrechts positive Wirkungen im Hinblick auf das Ziel der Lissabon-Strategie erreicht werden könnten, nachhaltiges Wachstum und zugleich mehr und bessere Arbeitsplätze zu schaffen.[37] Im Hintergrund steht die

[32] Vgl. KOM (1990) 228 endgültig, ABl. EG 1990 C 224, S. 4 ff.

[33] Vgl. zum Werdegang beider RL stellvertretend Annuß/Thüsing/*Annuß*, TzBfG, 2. Aufl., 2006, Einführung Rn. 9 ff., m. Nachw.

[34] Vgl. Entschließung des Rates vom 18. 12. 1979 über die Anpassung der Arbeitszeit, ABl. EG 1980 C 2, S. 1–3; Entschließung des Parlaments vom 17. 9. 1981 zur Beschäftigung und zur Neugestaltung der Arbeitszeit, ABl. EG 1981 C 260, S. 54 ff.; Vorschlag für eine RL des Rates zur Regelung der Zeitarbeit vom 7. 5. 1982, ABl. EG 1982 C 128, S. 2 ff.

[35] Vgl. zum Werdegang *Fuchs*, NZA 2009, 57 ff.; *Thüsing*, Arbeitsrechtlicher Diskriminierungsschutz, 2007, Rn. 803.

[36] Grünbuch (Fn. 7). Dazu stellvertretend *Franzen*, RIW 2007, 892 ff.; *Joussen*, ZEuP 2008, 374 ff.; *Uebe*, EuZA 2008, 167 ff.; *Waas*, ZESAR 2007, 197 ff.; *Wank*, AuR 2007, 2441 ff. Instruktiver Überblick bei *Thüsing*, Europäisches Arbeitsrecht, 2008, S. 9 ff.

[37] Grünbuch (Fn. 7), S. 3.

Festlegung des Europäischen Rates darauf, dass auf Seiten der Arbeitnehmer und der Unternehmen neue Formen der Arbeitsorganisation und eine größere Vielfalt der Arbeitsverträge mit besserer Kombination von Flexibilität und Sicherheit zur Anpassungsfähigkeit beitragen würden. In diesem Zusammenhang hat der Europäische Rat im Dezember 2007 die vereinbarten gemeinsamen *Flexicurity-Grundsätze* gebilligt, die auf ein ausgewogenes Verhältnis zwischen Flexibilität und Sicherheit auf dem Arbeitsmarkt abstellen.[38]

Das Grünbuch befasst sich (bei Unübersehbarkeit von Widersprüchen und einer insgesamt gesehen nicht klaren Linie) eingehend mit atypischen Arbeitsverhältnissen. Es stellt dazu fest,[39] dass befristete Arbeitsverträge, Teilzeitverträge, Abrufverträge, Null-Stunden-Verträge, Verträge für Arbeitnehmer, die über Zeitarbeitsfirmen eingestellt werden, Freelance-Verträge usw. sich inzwischen fest auf den europäischen Arbeitsmärkten etabliert haben. Der Anteil der Beschäftigten, die keinen Normalarbeitsvertrag haben, und der Selbständigen ist von etwa 36% im Jahr 2001 auf nahezu 40% der Arbeitskräfte in der EU-25 im Jahr 2005 gestiegen.[40] Im Einzelnen hat die Teilzeitbeschäftigung danach, als Prozentsatz der Gesamtbeschäftigung betrachtet, in den letzten fünfzehn Jahren von 13% auf 18% zugenommen; Teilzeitarbeit ist vorwiegend unter Frauen zu finden, nahezu ein Drittel der erwerbstätigen Frauen hat gemeinschaftsweit eine Teilzeitbeschäftigung, bei den Männern sind es 7%. Der Anteil der befristeten Beschäftigung an der Gesamtbeschäftigung ist in der EU-25 von 12% im Jahr 1998 auf mehr als 14% im Jahr 2005 gestiegen. Diejenigen Selbständigen, die keine Arbeitnehmer beschäftigen (in dieser Untersuchung als Solo-Selbständige bezeichnet), machen 10% aller Erwerbstätigen in der EU-25 aus; nach wie vor haben daran die Landwirtschaft und der Einzelhandel großen Anteil, das Phänomen der Kleinen Selbständigkeit gewinnt jedoch namentlich im Baugewerbe und bei den persönlichen Dienstleistungen beständig an Bedeutung.

3. Bei aller knappen Darstellung ist festzuhalten, dass die Europäische Gemeinschaft den atypischen Beschäftigungsformen in der Vergangenheit besondere Beachtung geschenkt hat: Bei den genannten Formen der atypischen Beschäftigung ging es insbesondere darum, ein Diskriminierungsverbot bzw. eine Gleichstellung gegenüber den im Normalarbeitsverhältnis Beschäftigten gemeinschaftsrechtlich zu verankern.

VII. Untersuchungsumfang und Ausgliederung

1. Das Gutachten überschreitet den zwingend vorgegebenen Umfang. Es war unerlässlich, Schwerpunkte zu bilden, vieles knapp zu halten, und einige Problempunkte mussten vollkommen ausgespart

[38] Vgl. die Erwägungsgründe der RL 2008/104/EG, dort Nr. 9.
[39] Grünbuch (Fn. 7), S. 8f.
[40] Grünbuch (Fn. 7), S. 8, m. Nachw.

bleiben. Dazu gehört namentlich das zunehmende Phänomen, dass Junge sich gezwungen sehen, zunächst und nicht nur vorübergehend in prekären *Praktikantenverhältnissen* ihre Arbeitskraft unter Wert abzugeben. Soweit es sich dabei nicht ohnehin um Missbrauch handelt, besteht auch insoweit Diskussionsbedarf. Dabei lassen sich die Untersuchungen und Ergebnisse dieses Gutachtens zu den behandelten Punkten in wesentlichen Hinsichten übertragen. Die Grundfragen sind dieselben. Dem *Gesichtspunkt der Diskontinuität* von Erwerbsbiographien kann in dem vorgegebenen Umfang nicht separat nachgegangen werden, seine Behandlung ist eingebaut.

2. Wegen des zwingend vorgegebenen Umfangs musste die Abhandlung der Frage, welche arbeits- und sozialrechtlichen Regelungen sich im Hinblick auf die Zunahme *Kleiner Selbständigkeit* empfehlen, ausgegliedert und an anderer Stelle, in der Zeitschrift **Recht der Arbeit (RdA),** Heft 3, 2010, veröffentlicht werden. Das betrifft die *Problemdarstellung* und den *Vorschlag* des Gutachtens, Kleine Selbständigkeit, die bisher nicht von verpflichtender Altersvorsorge erfasst ist, in die gesetzliche Rentenversicherung einzubeziehen. In den Überlegungen zu Perspektiven einer Entwicklung der Arbeitsbeziehungen und der sozialen Sicherheit (unten C.S. 104 ff.) und im Rahmen der Thesen sind die Befunde der ausgegliederten Problemdarstellung und der Vorschlag zu dem Phänomen der Kleinen Selbständigkeit berücksichtigt.

B. Grundlagen und Herausforderungen – Problemdarstellung –

I. Atypische Beschäftigungsverhältnisse: Befunde, Kritikpunkte, Folgerungen

1. Teilzeitbeschäftigung, insbesondere geringfügige Beschäftigung

a) Teilzeitbeschäftigung

aa) Hintergrund und Zahlen

Die Teilzeitbeschäftigung ist die mit Abstand am weitesten verbreitete Form der atypischen Beschäftigung. Sie macht, die abgabenprivilegierte geringfügige Beschäftigung eingeschlossen, mehr als ein Drittel der Beschäftigung in Deutschland aus. Im Jahr 1960 lag der Anteil der Teilzeitbeschäftigung bei 3,9%, 1990 bei 15,7%, 2007 bei 33,5%. Von den Teilzeitbeschäftigten sind etwa 50% geringfügig beschäftigt.[41] Die absolute Zahl der sozialversicherten Teilzeitbeschäftigten lag 2008 bei knapp 5 Mio. Personen, das waren ca. 18% von allen abhängig Beschäftigten.[42] Die Ausweitung der Teilzeitbeschäftigung seit Anfang der neunziger Jahre hängt eng mit der gestiegenen Erwerbstätigkeit der Frauen zusammen. Über 50% der Teilzeitbeschäftigten üben die Teilzeittätigkeit aus, weil sie Kinder oder pflegebedürftige Personen betreuen oder anderen familiären Verpflichtungen nachgehen.[43] Zunehmend wird Teilzeitbeschäftigung, mehr in den neuen als in den alten Bundesländern, aber auch zu einer Notlösung, wenn eine Vollzeitbeschäftigung nicht gefunden wird oder gehalten werden kann.[44]

In den Mitgliedstaaten der Europäischen Union (EU 27) ist die Teilzeitbeschäftigung sehr unterschiedlich verbreitet (z.B. Niederlande 46,8%, Griechenland 5,6%). Sie spielt in den westeuropäischen und skandinavischen Ländern eine große, in den

---

[41] Bundesagentur für Arbeit (Hrsg.), Amtliche Nachrichten der Bundesagentur für Arbeit, 56. Jahrgang, Sondernummer 2, Arbeitsmarkt 2007, S. 29ff.

[42] Statistisches Bundesamt (Hrsg.), Statistisches Jahrbuch 2009, 2009, S. 90.

[43] Zu Einzelheiten vgl. Statistisches Bundesamt (Hrsg.), Frauendomäne Teilzeitarbeit – Wunsch oder Notlösung? STATmagazin, Arbeitsmarkt, 28. 4. 2009, abrufbar unter www.destatis.de.

[44] Vgl. Statistisches Bundesamt (Hrsg.) (Fn. 43), S. 2.

osteuropäischen Mitgliedstaaten eine geringe Rolle.[45] Bei den Frauen arbeiten in Deutschland mit 51,1% (2007) mehr Beschäftigte in Teilzeit als in Vollzeit, davon 52% sozialversichert. Was das Alter betrifft, sind teilzeitbeschäftigt vor allem 35- bis 50-Jährige (deutlich weniger in den neuen Bundesländern als in den alten) und über 60-Jährige.[46] Bei Männern beträgt die Quote 16,7% (2007), sie hat sich seit 1990 dabei nahezu vervierfacht (bei den Frauen etwas weniger als verdoppelt), wobei bei den Männern die geringfügige Teilzeitbeschäftigung klar überwiegt (ca. 75%, 2004) und diese überwiegend von Jüngeren und Älteren geleistet wird. Die sozialversicherte Teilzeitbeschäftigung ist eine typische Beschäftigungsform des Dienstleistungssektors, sie spielt im produzierenden Gewerbe eine untergeordnete Rolle. Da die Erwerbsbeteiligung der Frauen durch die Teilzeitbeschäftigung geprägt ist, steht dem Anteil der Frauen an den Beschäftigten ein verhältnismäßig geringer Anteil am bewältigten Arbeitsvolumen (dem Produkt aus der Zahl der Erwerbstätigen und der Arbeitszeit) gegenüber.[47]

bb) Rechtsgrundlagen

(1) Gem. § 2 I TzBfG sind Arbeitnehmer teilzeitbeschäftigt, deren regelmäßige Wochenarbeitszeit kürzer ist als die regelmäßige Arbeitszeit eines vergleichbaren vollzeitbeschäftigten Arbeitnehmers des Betriebs. Die Einzelheiten ergeben sich aus § 2 I 1–4 TzBfG.

(2) Die im TzBfG heute verankerte Rechtslage beruht auf der seit den achtziger Jahren erhobenen Forderung, den Rechtsrahmen für die Teilzeitarbeit zu verbessern.[48] Der seitdem vorangetriebene Ausbau dieses Rechtsrahmens hatte mehrere Triebfedern. Im Vordergrund standen die bessere Vereinbarkeit der Berufstätigkeit der Frauen mit familiären Aufgaben und die Abmilderung der Auswirkungen der strukturellen Arbeitslosigkeit. Im Anschluss an Initiativen der EU mit dem Ziel der Regelung atypischer Beschäftigungsverhältnisse kam es 1997 zu einer Rahmenvereinbarung über Teilzeitarbeit zwischen den europäischen Sozialpartnern.[49] In der Folge ordnete die RL 97/81/EG vom 15. 12. 1997[50] die Umsetzung der Rahmenvereinbarung in nationales Recht an, was in Deutschland mit dem TzBfG vom 21. 12. 2000[51] verwirklicht wurde. Ein wesentliches Anliegen der RL 97/81/EG liegt in dem *Verbot der Diskriminierung* Teilzeitbeschäftigter (vgl. Art. 1 RL 97/81/EG iVm § 4 Rahmenvereinbarung über Teilzeitarbeit), welches durch § 4 I TzBfG umgesetzt wird.

---

[45] Eurostat (Hrsg.), Europa in Zahlen – Eurostat Jahrbuch 2009, 2009, S. 279. Überblick zum Gemeinschaftsrecht bei *Thüsing*, (Fn. 36), S. 134 ff.

[46] Statistisches Bundesamt (Hrsg.), Mikrozensus 2007 – Bevölkerung und Erwerbstätigkeit, Bd. 1, Schaubild 4.

[47] Vgl. zu allem *Wanger*, IAB-Kurzbericht 22/2005, S. 1 ff.

[48] Siehe stellv. *Hanau*, Verh. d. 63. DJT 2000, 2000, C. 76 ff; *Löwisch*, RdA 1984, 197 ff.

[49] ABl. EG 1998 L 14, S. 9, 12 ff.

[50] ABl. EG 1998 L 14, S. 9.

[51] BGBl. I, S. 1966.

cc) Vorteile und Nachteile

(1) Sieht man von der besonderen Interessenlage bei der abgabenprivilegierten geringfügigen Teilzeitbeschäftigung[52] ab, die an dem Aufschwung der Teilzeitbeschäftigung in Deutschland wesentlichen Anteil hat und auf die gesondert einzugehen ist, kann die Teilzeitbeschäftigung,[53] in der hier zwingend gebotenen Kürze zusammengefasst, für *Arbeitgeber* den Vorteil einer höheren Belastbarkeit der Teilzeitbeschäftigten gegenüber vollzeitbeschäftigten Arbeitnehmern haben, wenn die mit der Teilzeitbeschäftigung verbundenen organisatorischen Anforderungen (z.B. in Gestalt von Verwaltungsaufwand, Kosten der Ausstattung von Arbeitsplätzen, Kommunikationsaufwand) gegenüber Arbeitsverdichtung und Motivationsvorteilen in den Hintergrund treten. In der Teilzeitbeschäftigung steckt für die Unternehmen Flexibilisierungspotential. Bei den *Arbeitnehmern* steht das Anliegen einer besseren Vereinbarkeit von Beruf und Familie im Vordergrund; Teilzeitarbeit hat in der Praxis vor allem für Mütter minderjähriger Kinder, inzwischen zunehmend aber auch für Väter Bedeutung. Sozialpolitisch ist man bestrebt, die Teilzeitarbeit vor allem zur besseren Vereinbarkeit von Beruf und Familie, ferner zur Förderung des gleitenden Übergangs in den Ruhestand (Altersteilzeit) zu fördern. Darin liegt gemeinschaftsweit eine langfristige Perspektive. Der durch §§ 6, 8 TzBfG über die Eröffnung der besseren Vereinbarkeit von Beruf und Familie hinaus gewährte Anspruch auf eine Teilzeitbeschäftigung wird durch das europäische Gemeinschaftsrecht nicht gefordert.[54] Die Regelungen des TzBfG gehen auch an anderer Stelle über das nach der RL 97/81/EG Geforderte hinaus.

(2) Knapp 50% der Teilzeitbeschäftigten haben Arbeitsverhältnisse, die sich vom Normalarbeitsverhältnis nur durch die geringere Stundenzahl unterscheiden, also nicht zugleich befristet oder unter der Grenze der Geringfügigkeit angesiedelt sind. Eventuelle Nachteile, die sich aus gesellschaftlicher Perspektive mit befristeter Beschäftigung[55] und mit abgabenprivilegierter geringfügiger Beschäftigung[56] ergeben könnten, sind bei dieser Konstellation nicht zu bedenken. *Nachteile* aus dem Blickwinkel der Gesellschaft allgemein, die den Vorteilen der Teilzeitbeschäftigung als solcher gegenüberzustellen sind, können sich dann nur aus dem geringeren Umfang der Erwerbstätigkeit ergeben: Der geringere Umfang führt zu geringe-

---

[52] Dazu sogleich S. 27 ff.
[53] Näher zum Folgenden auch *Wanger*, IAB Kurzbericht 7/2006, 1 ff.
[54] ABl. EG L 14 v. 20. 1. 1998, S. 9, 13 f.
[55] Siehe unten S. 64 ff.
[56] Siehe sogleich S. 27 ff.

rem Beitragsaufkommen (bei gleichem Leistungsniveau) in Kranken- und Pflegeversicherung und zu geringerer Altersvorsorge. Letzteres kann zu Problemen führen, wenn die Teilzeitbeschäftigung nicht dauerhaft in einen Haushaltskontext mit weiterem Einkommen und familienrechtlichen und erbrechtlichen Schutzmechanismen (also insbesondere neben einem Ehegatten) eingebettet ist und längerfristig erfolgt. Etwas mehr als ein Viertel der Teilzeitbeschäftigten wird durch einen Partner oder eine Partnerin unterstützt.[57] Zu bedenken sind in diesem Zusammenhang mit Blick in die Zukunft die veränderten gesellschaftlichen Realitäten in Bezug auf Ehe, Familie und Partnerschaft sowie die zunehmende Instabilität von Ehen und Partnerschaften.[58] Trennung und Scheidung führen vor allem bei Frauen zu wirtschaftlichen Nöten.[59] Der Zusammenhang eintretender wirtschaftlicher Notlagen mit der durch Diskontinuität gekennzeichneten Erwerbsbeteiligung der Frauen und der bei Frauen häufigen Teilzeitbeschäftigung ist unverkennbar. *Alleinerziehende* sind am stärksten gefährdet. Die Teilzeitbeschäftigung der Frauen führt sodann trotz der dargelegten Vorteile nach wie vor zu Nachteilen bei Einkommen und Karrierechancen.

Im Hinblick auf die Alterung der Gesellschaft und den zu erwartenden Fachkräftemangel besteht die Chance, dass weiterhin bestehende Benachteiligungen von Frauen aus diesem äußeren Grund mittelfristig schneller abgebaut werden könnten. Bessere Bedingungen bei der Kinderbetreuung und die familiengerechte Gestaltung von Arbeitsplätzen sind dafür die notwendige Voraussetzung. Was die *Altersteilzeit* betrifft, führt der geltende Rechtszustand in der Praxis nicht zu einem gleitenden Übergang in den Ruhestand, so dass mit dem gleitenden Übergang eventuell verbundene Vorteile nicht genutzt werden; das sog. Blockmodell hatte Ende 2007 eine Häufigkeit von 88%.[60] Ganz überwiegend wird die Altersteilzeit also zur Verkürzung der Lebensarbeitszeit vereinbart. Dabei wird sie erwartungsgemäß eher von Personen mit höherem Einkommen genutzt. Wie die Teilzeitarbeit an der Schwelle zum Ruhestand besser genutzt werden könnte, ist im hier gesetzten Rahmen nicht zu thematisieren.

dd) Folgerungen

Teilzeitbeschäftigung fördert Flexibilität (z.B. bei speziellem oder wechselndem Personalbedarf) im Interesse der Unternehmen und auf Seiten der Arbeitnehmer die Vereinbarkeit von Beruf und Familie, ferner Produktivität und Motivation der Arbeitnehmer (mit Rückwirkung auch auf die Interessen der Unternehmen). Angebotene Teilzeitbeschäftigung kann bei der Suche nach qualifizierten Fachkräften Erfolg versprechen. Unter dem Strich überwiegen für Arbeitgeber und Arbeitnehmer die Vorteile. Was die Arbeitgeberin-

[57] Vgl. Statistisches Bundesamt (Hrsg.), (Fn. 43), S. 3.
[58] Dazu *Dethloff*, Verh. d. 67. DJT 2008, 2008, S. A 12ff.
[59] *Dethloff* (Fn. 58), S. A 21ff.
[60] Vgl. *Wanger*, IAB-Kurzbericht 8/2009, 1 (2).

teressen angeht, kann man die Frage stellen, ob nicht der Rechtsanspruch auf Teilzeit (§§ 6, 8 TzBfG) auf näher umschriebene Anlässe (namentlich den der besseren Vereinbarkeit von Beruf und Familie mit Kindern, Pflegebedarf) beschränkt sein könnte.

Im Ergebnis besteht in Bezug auf die sozialversicherungspflichtige Teilzeitbeschäftigung von allen neuen Beschäftigungsformen derzeit der geringste Anlass, den geltenden Rechtsrahmen zu verändern.

b) Geringfügige Beschäftigung

Das Phänomen der geringfügigen Beschäftigung hat seinen Daseinsgrund im Sozialrecht. Arbeitsrechtlich handelt es sich, namentlich bei geringfügig entlohnten Beschäftigungsverhältnissen im Sinn von § 8 I Nr. 1 SGB IV (also der gesellschaftspolitisch vor allem bedeutsamen Form der *Entgeltgeringfügigkeit,* die im Folgenden im Zentrum der Überlegungen stehen soll), um Fälle der Teilzeitbeschäftigung (§ 2 II TzBfG).[61] In der Kranken-, Pflege-, Renten- und Arbeitslosenversicherung ist eine Beschäftigung von der Sozialversicherungspflicht ausnahmsweise ausgenommen, wenn die Beschäftigung geringfügig ist (vgl. § 7 SGB V, § 20 I 1 SGB XI iVm § 7 SGB V, § 5 II Nr. 1 SGB VI, § 27 II SGB III). Unter welchen Voraussetzungen eine geringfügige Beschäftigung vorliegt, bestimmt für das Sozialversicherungsrecht allgemein § 8 SGB IV.

Die Ausnahme der geringfügigen Beschäftigung von der Sozialversicherungspflicht bewirkt eine *Abgabenprivilegierung* dieser Beschäftigungsform. Da die Arbeitgeber durch pauschal bemessene Beiträge zu Kranken- und Rentenversicherung, durch eine pauschale Abgeltungssteuer und durch bestimmte Umlagen (in unterschiedlicher Höhe, je nach dem, ob der geringfügig Beschäftigte krankenversichert ist oder nicht) mit entweder zusammen 30,77% oder 17,77% bzw. bei geringfügiger Beschäftigung in Privathaushalten mit 14,27% bzw. 9,27%[62] (im Verhältnis zu einem Arbeitgeberbeitrag von knapp 20% bei Normalarbeitsverhältnissen) belastet sind (vgl. § 249b S. 1, 2 SGB V, § 172 III 1, III a SGB VI, § 40a II EStG, §§ 1 I, 2 AAG, §§ 358ff. SGB III bzw. § 185 IV 3 SGB VII), nützt die Privilegierung bei erstem Hinsehen vor allem den Arbeitnehmern, die keine Belastungen für soziale Vorsorge zu tragen und in der Regel keine Steuern auf die Einnahmen aus geringfügiger Beschäftigung zu zahlen haben, auf der anderen Seite allerdings im Wesentlichen auch keine Leistungsansprüche aus der Sozialversicherung

[61] Die „zeitgeringfügige" Beschäftigung gem. § 8 I Nr. 2 SGB IV kann während ihrer Dauer Vollzeit- oder Teilzeitbeschäftigung sein.
[62] Siehe auch unten S. 30ff.

erwerben. Es ist jedoch in hohem Maß plausibel, dass der *de iure* zunächst bei den Arbeitnehmern angesiedelte Vorteil wegen der Berücksichtigung der Abgabenfreiheit bei der Vertragsgestaltung *de facto* am Ende typischerweise den (privaten und öffentlichen) Arbeitgebern zu Gute kommt.[63]

c) Tatsächliche Entwicklungen und Erträge bei geringfügiger Beschäftigung

aa) Zahlen

(1) Die Zahl der geringfügigen Beschäftigungen[64] ist seit Anfang der neunziger Jahre stark angestiegen, seit 2006 stagniert sie bei rund 7 Mio. Im Dezember 1992 gab es rund 4,5 Mio. geringfügig Beschäftigte, im Dezember 1997 5,6 Mio.,[65] im Dezember 2003 5,9 Mio., im Dezember 2005 6,7 Mio. und im Dezember 2008 7,1 Mio. geringfügig Beschäftigte. Die absolute Zahl der *ausschließlich* geringfügig entlohnten Beschäftigten betrug im Dezember 2008 rund 4,8 Mio., die der *im Nebenjob* geringfügig entlohnten Beschäftigten rund 2,2 Mio.[66] Die Zahl der insgesamt gesehen Erwerbstätigen lag Ende 2008 bei rund 40,5 Mio., die Zahl der sozialversicherungspflichtig Beschäftigten wurde durch die Bundesagentur für Arbeit auf rund 27,5 Mio. hochgerechnet.[67]

Besonders rasant war der Zuwachs nach dem Inkrafttreten der letzten Gesetzesänderung am 1. 4. 2003:[68] Die Gesamtzahl stieg von rund 5,2 Mio. geringfügig Beschäf-

---

[63] So hatten die Arbeitgeber des Gebäudereiniger-Handwerks, als 1999 die Verringerung der Abgabenprivilegierung durch das Gesetz zur Neuregelung der geringfügigen Beschäftigungsverhältnisse vom 24. 3. 1999 (BGBl. I, S. 388) absehbar war, durch Übergangstarifvertrag vom 22. 3. 1999 den Ecklohn für geringfügig Nebenbeschäftigte auf 82% abgesenkt, um die aus der Verpflichtung zur Zahlung von Arbeitgeberbeiträgen folgende Kostenbelastung zu neutralisieren, vgl. das auf Erlass einer einstweiligen Anordnung gerichtete Verfahren *BVerfG* 28. 7. 1999 – 1 BvQ 5/99 – NJW 1999, 3036. Siehe ferner z.B. Institut zur Zukunft der Arbeit (Hrsg.), IZA COMPACT Sonderausgabe Dezember 2008, 1 (7).

[64] Zu aktuellen Zahlen siehe Deutsche Rentenversicherung Knappschaft-Bahn-See/ Minijob-Zentrale (Hrsg.), Aktuelle Entwicklungen im Bereich der geringfügigen Beschäftigung, III. Quartal 2009; Statistik der Bundesagentur für Arbeit, Beschäftigungsstatistik, Geringfügig entlohnte Beschäftigte in Deutschland – Zeitreihen ab Juni 1999.

[65] Zahlen von 1992 und 1997 nach BT-Drs. 13/9313, S. 3. Zahlen der Bundesagentur für Arbeit zur gesamten geringfügigen Beschäftigung sowie zur Nebenbeschäftigung stehen erst ab Juni 2003 zur Verfügung, Zahlen zur ausschließlich geringfügigen Beschäftigung ab Juni 1999.

[66] Statistik der Bundesagentur für Arbeit, Aktuelle Monatsergebnisse – Beschäftigung nach Ländern in wirtschaftsfachlicher Gliederung, Dezember 2008.

[67] Bundesagentur für Arbeit, „Eckwerte des Arbeitsmarktes", Monatsbericht Februar 2009, S. 46.

[68] Zweites Gesetz für moderne Dienstleistungen am Arbeitsmarkt vom 23. 12. 2002, BGBl. I, S. 4621.

tigten im April 2003 auf 6,7 Mio. geringfügig Beschäftigte im Dezember 2004. Dabei fiel der Anstieg bei den *ausschließlich geringfügig entlohnten* Beschäftigten deutlich weniger kräftig aus (von 4,1 Mio. auf 4,9 Mio.) als bei den *im Nebenjob* geringfügig Entlohnten (von 1,1 Mio. auf 1,8 Mio.). Die Zahl der geringfügig Beschäftigten *in Privathaushalten* ist seit der Einführung ihrer besonderen sozialversicherungsrechtlichen und steuerrechtlichen Privilegierung mit Wirkung vom 1. 4. 2003 von ca. 33 600 (Mitte 2003) auf 183 368 (Drittes Quartal 2009) angestiegen, wobei zu bedenken ist, dass es rund 39,7 Mio. Privathaushalte gibt.[69]

Unter dem Strich ist die geringfügige Beschäftigung heute mehr als ein peripheres Phänomen.

(2) Die Zahl der sog. „Midijobs" innerhalb der ebenfalls mit Wirkung vom 1. 4. 2003 eingeführten *beitragsrechtlichen Gleitzone* zwischen 40,01 und 800 € (vgl. § 20 II SGB IV) ist weniger deutlich angestiegen. Waren im Dezember 2003 rund 600 000 Personen in der beitragsrechtlichen Gleitzone beschäftigt, verdoppelte sich deren Zahl bis Dezember 2008 auf rund 1,25 Mio. Innerhalb der beitragsrechtlichen Gleitzone besteht für die Beschäftigten Versicherungspflicht (und damit Versicherungsschutz) in allen Zweigen der Sozialversicherung, es ist aber die Beitragsbelastung der Arbeitnehmer gestaffelt, sie steigt allmählich auf die etwa hälftige Beitragsverteilung zwischen Arbeitgeber und Arbeitnehmer an.[70]

bb) Verteilung

Die geringfügige Beschäftigung ist im Westen Deutschlands deutlich stärker verbreitet als im Osten; von den rund 7,1 Mio. geringfügig entlohnten Beschäftigten im Dezember 2008 waren rund 65% Frauen; bei den ausschließlich geringfügig Beschäftigten sind Jüngere (unter 25 Jahren) und Ältere (über 55 Jahren) überdurchschnittlich vertreten, während die Altersstruktur der in Nebenbeschäftigung geringfügig entlohnten Beschäftigten und die Alterstruktur der innerhalb der beitragsrechtlichen Gleitzone Beschäftigten in etwa der Alterstruktur der sozialversicherungspflichtig Vollzeitbeschäftigten entspricht.[71] Was die Wirtschaftszweige angeht, ist die geringfügige Beschäftigung in Dienstleistungsbranchen besonders stark vertreten: Vor allem im Einzelhandel (945 996 Personen), in der Gastronomie (572 479), in Unternehmen der Gebäudebetreuung und des Gar-

---

[69] Deutsche Rentenversicherung Knappschaft-Bahn-See/Minijob-Zentrale (Hrsg.), (Fn. 64), S. 11.

[70] Überblick bei ErfK/*Rolfs*, 10. Aufl., 2010, § 20 SGB IV, Rn. 3 ff.; *Waltermann*, Sozialrecht, 8. Aufl., 2009, Rn. 127 a.

[71] Statistik der Bundesagentur für Arbeit (Hrsg.), Beschäftigungsstatistik, Geringfügig entlohnte Beschäftigte in Deutschland – Zeitreihen ab Juni 1999; Bundesagentur für Arbeit (Hrsg.), Mini- und Midijobs in Deutschland, Sonderbericht, Dezember 2004, S. 3.

ten- und Landschaftsbaus (510609) sowie im Gesundheitswesen (415195).[72]

cc) Entgelte und Vorsorge

(1) Der mit einer ausschließlich geringfügig entlohnten Beschäftigung *erzielbare Ertrag* ist auf 400 € im Monat und also 4800 € im Jahr begrenzt und kann damit allein von vornherein nicht existenzsichernd sein. Innerhalb der beitragsrechtlichen Gleitzone kann ein Jahreseinkommen von 9600 € erreicht werden, das in aller Regel ebenfalls die Existenz allein nicht sichern kann. Es ist zudem unbestritten davon auszugehen, dass die geringfügig entlohnte Beschäftigung *typischerweise Niedriglohnbeschäftigung* ist (wovon beim Ausbau dieser Beschäftigungsform auch der Gesetzgeber ausging[73] und die Bundesregierung ausgeht):[74] Geringfügige Beschäftigungsverhältnisse findet man vor allem in Dienstleistungsbereichen und dort in Branchen und Tätigkeiten mit niedrigen Entgelten.

Im Einzelnen: Das durchschnittliche Brutto-Entgelt geringfügig Beschäftigter von 8,98 € in der Stunde erreicht etwa die Hälfte des Brutto-Stundenverdienstes von im Normalarbeitsverhältnis Beschäftigten, welches bei 18,04 € in der Stunde liegt.[75] Dabei sind natürlich die geringeren Anforderungen an die Qualifikation in geringfügigen Beschäftigungsverhältnissen mitursächlich. Unter dem Strich erzielten 81,2% der geringfügig Beschäftigten ein Brutto-Entgelt unterhalb der Niedriglohngrenze (zwei Drittel des Median-Stundenverdienstes, im Jahr 2006 9,85 €).[76] Der Anteil der geringfügigen Beschäftigung *bei Stundenlöhnen unter 5 €* lag 2007 bei rund 66% (allgemein: Rund 7%).[77]

(2) Beachtliche Auswirkungen hat die geringfügige Beschäftigung im Hinblick auf die *Risikovorsorge* der Beschäftigten: Auch wenn die Arbeitgeber (vor dem sozialrechtlichen Hintergrund in unterschiedlicher Höhe, einschließlich der pauschalen Steuer von 2% zwischen 30,77% und 9,27% des Bruttoeinkommens)[78] pauschalierte Beiträge zu Zweigen der Sozialversicherung entrichten, erwachsen aus der geringfügigen Beschäftigung den Arbeitnehmern keine An-

---

[72] Zu Einzelheiten siehe Deutsche Rentenversicherung Knappschaft-Bahn-See/ Minijob-Zentrale (Hrsg.) (Fn. 64).

[73] Vgl. Bericht der Bundesregierung zu den Auswirkungen des Gesetzes zur Neuregelung der geringfügigen Beschäftigungsverhältnisse auf den Arbeitsmarkt, die Sozialversicherung und die öffentlichen Finanzen vom 31. 3. 2003, BT-Drs. 15/758, S. 2. Vgl. ferner Statistisches Bundesamt (Hrsg.), Arbeitnehmer-Verdienste im produzierenden Gewerbe und im Dienstleistungsbereich, Fachserie 16, Reihe 2.1, 3. Quartal 2008; Statistisches Bundesamt (Hrsg.) (Fn. 5), S. 13 ff., insbes. 18.

[74] Vgl. Koalitionsvertrag zwischen CDU, CSU und FDP, 17. Legislaturperiode, S. 22.

[75] Vgl. für 2006 Statistisches Bundesamt (Hrsg.) (Fn. 5), S. 14.

[76] Siehe dazu unten S. 73.

[77] Vgl. *Kalina/Weinkopf*, IAQ-Report 2009 – 05, S. 8.

[78] Siehe oben S. 27.

sprüche in der gesetzlichen Krankenversicherung, in der gesetzlichen Pflegeversicherung und in der Arbeitslosenversicherung (Versicherungsfreiheit gem. § 7 I 1 SGB V, § 20 I SGB XI iVm § 7 I 1 SGB V und § 27 II 1 SGB III). In der gesetzlichen Rentenversicherung können nur geringe Vorteile erworben werden: Mit der Pflicht des Arbeitgebers, gem. § 172 III 1 SGB VI einen pauschalen Beitrag in Höhe von 15% des Arbeitsentgelts für Beschäftigte im Sinn von § 8 I Nr. 1 SGB IV (Entgeltgeringfügigkeit) zu entrichten, verbinden sich nach Maßgabe von § 76b I SGB VI Zuschläge an Entgeltpunkten.

Konkret folgt daraus: Erreicht das geringfügige Beschäftigungsverhältnis das Entgelt von monatlich 400 €, beträgt der Beitrag zur gesetzlichen Rentenversicherung 60 €, das ergibt gem. § 76b II SGB VI 0,1172 Entgeltpunkte. Die gem. § 5 II 2 SGB VI eröffnete Möglichkeit der Arbeitnehmer, auf die Versicherungsfreiheit zu verzichten und den Arbeitnehmeranteil (im Jahr 2009 beträgt die Differenz zum vollen Beitrag 4,9%) zu tragen (§ 168 I Nr. 1b und Nr. 1c SGB VI), führt bei einem Entgelt von 400 € zu einer zusätzlichen Beitragsleistung von 19,60 € und also zu weiteren 0,0383 Entgeltpunkten, in der Summe somit zu 0,1554 Entgeltpunkten.[79] Daraus würde derzeit am Ende, wenn man 45 Beitragsjahre ansetzt (was in der Realität so gut wie nicht vorkommt), eine Rente von 143,45 € (West) bzw. 127,26 € (Ost), bei Verzicht auf die Versicherungsfreiheit (§ 5 II 2 SGB VI) und zusätzlicher Beitragsleistung eine Rente von 190,27 € (West) und 168,79 € (Ost) folgen. Nur 4,4% der geringfügig Beschäftigten nutzen letztere Möglichkeit.[80] Verzichten Arbeitnehmer auf die Versicherungsfreiheit in der gesetzlichen Rentenversicherung, kann dies zudem allerdings den Zugang zu der staatlich geförderten zusätzlichen privaten Altersvorsorge („Riester-Rente“) eröffnen, für deren Nutzung dem geringfügig Beschäftigten indessen Mittel zur Verfügung stehen müssen. Ein Vorteil der freiwilligen Aufstockung besteht sodann darin, dass Ansprüche auf Leistungen zur Rehabilitation und auf Rente wegen Erwerbsminderung erworben werden können (vgl. § 43 SGB VI, § 33ff. SGB IX) und die Beitragsleistung dazu führt, dass auf die Wartezeit die volle Anzahl an Monaten angerechnet wird, die sich ergibt, wenn die Zuschläge an Entgeltpunkten durch die Zahl 0,0313 geteilt wird (vgl. § 52 II SGB VI).

(3) In geringfügig entlohnten Beschäftigungsverhältnissen wird sodann in nicht geringem Umfang *während des Bezugs von Leistungen der Grundsicherung (ALG II) hinzuverdient:* Geringfügig Beschäftigte machen den größten Anteil der *sog. Aufstocker* aus, also derjenigen, die neben einem Einkommen aus Beschäftigung Leistungen nach dem SGB II beziehen.[81] Die geringfügige Beschäftigung ist in beträchtlichem Umfang inzwischen zu einem *Hinzuverdienstmodell* während des Bezugs von Arbeitslosengeld II geworden: Es wird nicht das Arbeitsentgelt aus dem Steueraufkommen aufgestockt, sondern die steuerfinanzierte Transferleistung durch „geringfügige

[79] Bei einer geringfügigen Beschäftigung in Privathaushalten liegt der Rentenvorteil in Konsequenz der geringeren Pauschalbeiträge niedriger, der eventuelle Eigenanteil des Arbeitnehmers höher (2009: 14,9%).

[80] Vgl. Deutsche Rentenversicherung Knappschaft-Bahn-See/Minijob-Zentrale (Hrsg.) (Fn. 64), S. 13.

[81] Vgl. *Bruckmeier/Graf/Rudolph*, IAB-Discussion Paper 34/2008, insbes. S. 15ff.

Hinzuverdienstbeschäftigung". Im März 2009 erzielten 731171 erwerbstätige Leistungsbezieher einen Bruttoverdienst von unter 400 €, 247780 erreichten zwischen 400 und 800 € brutto.[82]

Vor dem Hintergrund der geltenden Freibeträge für Hinzuverdienst neben Leistungen der Grundsicherung ist die Aufnahme einer geringfügigen Beschäftigung attraktiv.[83] Nach Maßgabe der §§ 11, 30 S. 2 Nr. 1 SGB II ist von monatlichen Einkünften aus Erwerbstätigkeit ein Grundbetrag von 100 € anrechnungsfrei. Werden höhere monatliche Einkünfte erzielt, bleiben bei einem Brutto-Einkommen von bis zu 800 € 20% beim Hilfeempfänger. Für den Teil des monatlichen Einkommens, das 800 € übersteigt und nicht mehr als 1200 € beträgt, beläuft sich der Freibetrag auf 10%, § 30 S. 2 Nr. 2 SGB II. Nur oberhalb von 1200 € werden Einkünfte bei Alleinstehenden voll angerechnet; erwerbsfähige Hilfebedürftige, die entweder mit mindestens einem minderjährigen Kind in einer Bedarfsgemeinschaft leben oder die mindestens ein minderjähriges Kind haben, können 10% bis zu einem Brutto-Einkommen von 1500 € absetzen (§ 30 S. 3 SGB II). Die Bundesregierung will bei den Hinzuverdienstgrenzen die Arbeitsanreize stärken,[84] was dahin gedeutet wird, dass die Hinzuverdienstgrenzen erhöht werden sollen.[85] Indessen bleiben auch vor dem Hintergrund der Hinzuverdienstmöglichkeiten geringfügig Beschäftigte verhältnismäßig lange im Leistungsbezug (nach sechs Monaten noch 42%), nur bei ca. 15% endet der Leistungsbezug, bei 43% dagegen das Beschäftigungsverhältnis.[86] Ein Anreiz, die Arbeitstätigkeit auszuweiten, entsteht so nicht.[87] Die Kombination von Leistungen der Grundsicherung und anrechnungsfreien Einkünften einer geringfügigen Beschäftigung gewährleistet ein Nettoeinkommen, welches die dauerhafte Einrichtung im Leistungsbezug möglich macht.

d) Rechtliche Rahmenbedingungen der geringfügigen Beschäftigung

aa) Diskriminierungsverbot

Die dargelegten Besonderheiten der geringfügigen Teilzeitbeschäftigung folgen aus dem Sozialrecht. Arbeitsrechtlich ist die geringfügige Beschäftigung, namentlich im Hinblick auf Kündigungsschutz, Entgeltfortzahlung im Krankheitsfall oder bezahlten Urlaub, rechtlich nicht anders zu behandeln als die Vollzeitbeschäftigung. Es gilt abseits aller Einzelheiten insbesondere das gemeinschaftsrechtlich unterfangene Diskriminierungsverbot (vgl. § 4 TzBfG). Teilzeitbeschäftigte Arbeitnehmer dürfen wegen der Teilzeitarbeit nicht schlechter behandelt werden als ein vergleichbarer vollzeitbeschäftigter Arbeitnehmer, wenn nicht sachliche Gründe die unterschied-

---

[82] Bundesagentur für Arbeit (Hrsg.), Erwerbstätigkeit von erwerbsfähigen Leistungsbeziehern, März 2009, abrufbar unter www.pub.arbeitsamt.de.

[83] Siehe *Bruckmeier/Graf/Rudolph* (Fn. 81), S. 16 Tabelle 1; *Dietz/Walwei*, ifo Schnelldienst 4/2007, 28 (29 f.).

[84] Koalitionsvertrag (Fn. 74), S. 22.

[85] Was fragwürdig erscheint. Siehe auch unten S. 89 f.

[86] Siehe *Bruckmeier/Graf/Rudolph* (Fn. 81), S. 22.

[87] Siehe näher *Spellbrink*, in: Festgabe für Bieback, 2010, S. 163 (169).

liche Behandlung rechtfertigen. Ausdrücklich ist gem. § 4 I 2 TzBfG einem teilzeitbeschäftigten Arbeitnehmer *Arbeitsentgelt oder andere geldwerte Leistung* mindestens in dem Umfang zu gewähren, welcher dem Anteil seiner Arbeitszeit an der Arbeitszeit eines vergleichbaren vollzeitbeschäftigten Arbeitnehmers entspricht. In der Praxis wird allerdings verbreitet nicht rechtskonform verfahren. Es ist davon auszugehen, dass geringfügig Beschäftigte etwa Zeiten, die auf Krankheit und Feiertage fallen, nicht selten nacharbeiten müssen.[88] Dass andere Schutzbestimmungen des Arbeitsrechts ebenfalls nicht durchgängig verwirklicht werden, ist allgemein bekannt.[89] Es muss gefragt werden, ob nicht insoweit diese besondere Beschäftigungsform von vornherein missbrauchsanfälliger ist als das Normalarbeitsverhältnis und woran das liegen könnte. Der deutsche Sonderweg abgabenprivilegierter geringfügiger Teilzeitbeschäftigung erschwert unter dem Strich ohne Zweifel die tatsächliche Verwirklichung des gemeinschaftsrechtlich vorgegebenen Diskriminierungsverbots.

bb) Paradigmenwechsel im Jahr 2003

(1) Hinter der Versicherungsfreiheit geringfügig entlohnter Beschäftigungen steht ursprünglich der Regelungszweck, dass es einer sozialen Absicherung der in geringem Umfang sozusagen nebenbei Beschäftigten nicht bedürfe, weil deren Lebensunterhalt regelmäßig durch andere Einkünfte gesichert sei, mit denen sich zugleich die sozialrechtliche Absicherung verbinde. Gedacht war vor allem an die geringfügige Beschäftigung von Personen, deren Ehepartner einer Vollzeitbeschäftigung nachgeht, so dass über diesen bereits die Vorsorge gegen die Risiken der Krankheit und Pflegebedürftigkeit, der Arbeitslosigkeit und der Invalidität und des Alters gewährleistet ist. Wegen der kräftigen Zunahme der geringfügigen Beschäftigung seit Anfang der neunziger Jahre und der bewussten Nutzung der Möglichkeiten abgabenprivilegierter geringfügiger Beschäftigung stand in den neunziger Jahren dann die Frage im Vordergrund, ob nicht der geringfügigen Beschäftigung Grenzen gezogen werden müssten. In diesem Sinn hat der Gesetzgeber 1999 der Möglichkeit, eine geringfügige Beschäftigung (bei einem anderen Arbeitgeber) neben der Hauptbeschäftigung auszuüben, einen Riegel vorgeschoben (§ 8 II 1 SGB IV idF des Gesetzes zur Neuregelung der geringfügigen Beschäftigungsverhältnisse vom 24. 3. 1999), ein Schritt, der wegen der

---

[88] Nach *Winkler* wurde 2004 an 7,6% der geringfügig Beschäftigten Entgeltfortzahlung im Krankheitsfall geleistet, dagegen an 56% der sozialversicherungspflichtig Beschäftigten vgl. *Winkler*, SozSich 54 (2005), 292 (298).

[89] Vgl. stellvertretend *Brandt*, WS I-Mitteilungen 2006, 446 (448).

mit der Gesetzesänderung verbundenen Rücknahme von Privilegierungen von Arbeitnehmern und Arbeitgebern außerordentlich heftig kritisiert wurde.

(2) Mit dem Zweiten Gesetz für moderne Dienstleistungen am Arbeitsmarkt vom 23. 12. 2002[90] hat der Gesetzgeber mit Wirkung vom 1. 4. 2003 dann einen Paradigmenwechsel vollzogen und die Dinge in die entgegengesetzte Richtung entwickelt: Unter Zurückstellung der dem Modell der geringfügigen Beschäftigung bis dahin entgegengebrachten Bedenken verfolgt das Zweite Gesetz für moderne Dienstleistungen am Arbeitsmarkt das Ziel, Arbeitgebern und Beschäftigung Suchenden einen Anreiz zur Schaffung bzw. zur Aufnahme einer (geringfügigen) Beschäftigung zu geben.[91] Durch Stärkung der abgabenprivilegierten geringfügigen Beschäftigung und durch die Einführung der Gleitzone sollten *Beschäftigungsmöglichkeiten im Niedriglohnbereich aufgebaut* und die *Binnenkonjunktur angekurbelt* werden.[92] Hinter der besonderen Privilegierung von geringfügigen Beschäftigungsmöglichkeiten in Privathaushalten gem. § 8a SGB IV stand der Gedanke, die dort weit verbreitete *illegale Beschäftigung zu legalisieren.*[93] Die Reform hat, wie die Zahlen belegen vor allem die abgabenprivilegierte entgeltgeringfügige *Neben*beschäftigung (§ 8 I Nr. 1 SGB IV) beflügelt, nennenswerte Bedeutung bei den haushaltsnahen Dienstleistungen hat die gemeldete geringfügige Beschäftigung nicht erreicht.

cc) Krankenversicherung

Die gem. § 7 I 1 SGB V angeordnete Befreiung von der Versicherungspflicht in der gesetzlichen Krankenversicherung ist mit Wirkung vom 1. 4. 2007 durch § 5 I Nr. 13 SGB V im Ergebnis nunmehr teilweise aufgefangen: Unter den Voraussetzungen des § 5 I Nr. 13 SGB V sind auch geringfügig entlohnte Beschäftigte krankenversicherungspflichtig, wenn sie nicht bereits auf anderem Weg, insbesondere gem. § 10 SGB V abgeleitet, krankenversichert sind.[94]

dd) Kurzer Rechtsvergleich, Gemeinschaftsrecht

Eine dem deutschen Recht vergleichbare sozialrechtliche Privilegierung geringfügiger Beschäftigung gibt es in anderen Mitgliedstaa-

---

[90] BGBl. I, S. 4621.

[91] Vgl. BT-Drs. 15/23 S. 1, 7 und BT-Drs. 15/26, S. 1 f.

[92] *Hartz u.a.*, Moderne Dienstleistungen am Arbeitsmarkt – Vorschläge der Kommission zum Abbau von Arbeitslosigkeit und zur Umstrukturierung der Bundesanstalt für Arbeit, Berlin 2002, S. 170; dazu stellv. *Rolfs*, NZA 2003, 65 (66).

[93] Vgl. BT-Drs. 15/26, S. 23 f.

[94] Zur Handhabung näher Gemeinsames Rundschreiben der Spitzenverbände der Krankenkassen vom 20. 3. 2007, S. 14.

ten der Europäischen Union nicht, nur Österreich kennt entsprechende sozialversicherungsrechtliche Sonderregelungen, Ausnahmen von der Verpflichtung zu sozialer Vorsorge bei geringfügigen Tätigkeiten findet man ferner in Großbritannien, Irland und Malta.[95] Üblicherweise ist in den Mitgliedstaaten der Europäischen Gemeinschaft die gesamte Erwerbsbevölkerung in die Systeme der sozialen Sicherheit eingebunden. Dabei wird, anders als in Deutschland, weitgehend auch nicht zwischen abhängig Beschäftigten und Selbständigen unterschieden. Eine Diskussion über den *deutschen Sonderweg* der Abgabenprivilegierung geringfügiger Teilzeitbeschäftigung sollte den europäischen Rahmen in einem schneller zusammenwachsenden Europa berücksichtigen.

e) Bilanz im Hinblick auf die Abgabenprivilegierung

Die Abgabenprivilegierung der geringfügigen Beschäftigung bietet den Unternehmen und bestimmten Arbeitnehmern Vorteile; diese Vorteile finden sich in der Diskussion nach der Gesetzesänderung von 1999 abgebildet.[96] Hinzugekommen sind Anreize durch Hinzuverdienstmöglichkeiten im Zusammenhang mit Leistungen der Grundsicherung für Arbeitsuchende. In Bezug auf die im vorliegenden Zusammenhang indessen vor allem bedeutsamen Vorteile und Nachteile *für die Gesellschaft allgemein* lässt sich auf der Grundlage des gegenwärtigen Erkenntnisstands sagen:

aa) Was *Vorteile* (für die Gesellschaft allgemein) betrifft, ist eine *Brückenfunktion* in Richtung Vollzeitbeschäftigung (mit hinreichenden Erträgen) – darüber dürfte in der Wissenschaft vollkommene Einigkeit bestehen – nicht erkennbar.[97] Es wird in ihr auch keine Aufstiegsperspektive erblickt.[98] Die geringfügige Beschäftigung hat besondere Bedeutung im Dienstleistungssektor und dort vornehmlich in Branchen, in denen Vollzeitbeschäftigung selten vorkommt (Gastronomie, Gebäudebetreuung) oder in denen die Vollzeitbeschäftigung gegenüber der Teilzeitbeschäftigung, namentlich unter den Gesichtspunkten der Qualifikation und der Arbeitsorganisation,

---

[95] Siehe zum Ganzen *Knospe*, ZESAR 2008, 323 ff.

[96] Siehe nur *BVerfG* 28. 7. 1999 – 1 BvQ 5/99 – NJW 1999, 3036 f.; Bericht der Bundesregierung (Fn. 73).

[97] Sehr kritisch in diesem Sinn der *Sachverständigenrat* (Fn. 2), S. 310, 324, siehe ferner stellvertretend *Bäcker*, WSI-Mitteilungen 2006, 255 (257); *Brandt* (Fn. 89), 446 (449); *ders.*, WSI-Diskussionspapier Nr. 142, 2005, S. 39 ff.; *Fertig/Kluve/Scheuer*, Was hat die Reform der Minijobs bewirkt? Erfahrungen nach einem Jahr, RWI Schriften Nr. 77, 2005, S. 66, 91.

[98] Siehe etwa Institut zur Zukunft der Arbeit (Hrsg.), IZA COMPACT Sonderausgabe Dezember 2008, 1 (7).

jedenfalls heute keine Präferenz mehr genießt. Es erscheint vielmehr eher plausibel, wenn Untersuchungen *Verdrängungseffekte* diagnostizieren,[99] die im Hinblick auf die Interessen der Gesellschaft an einer Beschäftigung mit hinreichendem Gesamtertrag unter Einschluss der gebotenen Risikovorsorge[100] einen beträchtlichen Nachteil darstellen würden. Dabei kann offen bleiben, ob oder inwieweit Vollzeitbeschäftigung unmittelbar durch privilegierte geringfügige Beschäftigung ersetzt wird oder aber in Dienstleistungsbranchen neu entstehende Beschäftigung als geringfügige Beschäftigung angeboten wird und sich auf diese Weise die Gewichte verschieben. Jedenfalls kann es angesichts reduzierter Verpflichtungen zur Leistung von Steuern und Abgaben lohnend sein, mögliche Vollzeitarbeitsplätze zu zerlegen, wenn es um Tätigkeiten, in der Regel im Dienstleistungsbereich, geht, bei denen es auf den Beschäftigten oder auf Kontinuitätsgesichtspunkte nicht ankommt; dass dabei nach dem Gesetz den Arbeitgeber unter Umständen höhere Abgaben treffen können als bei nicht geringfügig Beschäftigten, wirkt sich für Arbeitgeber in der Praxis unter dem Strich nicht kostensteigernd aus.[101] Vorteile der Privilegierung geringfügiger Beschäftigung sollen sodann in *Legalisierungseffekten* liegen;[102] dieser Gesichtspunkt spielt vor allem bei haushaltsnahen Dienstleistungen eine Rolle.[103] Es erscheint indessen fernliegend, Illegalität durch Entgegenkommen das Wasser abgraben zu wollen, sofern es für den legalen Zustand – in unserem Zusammenhang die Belastung der Beschäftigung mit den Kosten einer notwendigen (die Einzelnen absichernden und die Gesellschaft vor mangelnder Vorsorge Einzelner schützenden) Risikovorsorge – gute Gründe gibt.[104] Schwarzarbeit ist, wenn man deren nachteilige Auswirkungen nicht mitdenkt, immer konkurrenzlos. Es ist, was den Legalisierungsgesichtspunkt angeht, im übrigen zu bedenken, dass wegen der Anrechnung gem. § 8 II 1 SGB IV oder wegen des Verlusts von SGB-II-Leistungen trotz der bestehenden Abgabenprivilegierung weit verbreitet eine zweite geringfügige Beschäftigung unangemeldet bleibt; eine ausgedehnte Schwarzarbeit lässt sich nicht in

---

[99] Siehe *Brandt* (Fn. 89), 446 (448); Bundesagentur für Arbeit (Hrsg.), Mini- und Midijobs in Deutschland, Sonderbericht 2004, S. 12ff.; RWI (Hrsg.), Aspekte der Entwicklung der Minijobs, Abschlussbericht 2004, S. 94f.; *Steiner/Wrohlich*, DIW Wochenbericht 2005, 141ff.; *Voss-Dahm*, Verdrängen Minijobs „normale" Beschäftigung?, in: Institut Arbeit und Technik (Hrsg.), Jahrbuch 2005, S. 232, 242ff. In diesem Sinn auch, jedoch zurückhaltend, der *Sachverständigenrat* (Fn. 2), S. 306, 324.

[100] Dazu auch unten S. 37f., 70ff.

[101] Siehe oben S. 27f. und unten S. 88ff.

[102] Dazu *Bäcker* (Fn. 97), 255 (259).

[103] Vgl. die Gesetzesbegründung in BT-Drs. 15/26, S. 23f.

[104] Zu Recht sehr kritisch in diesem Sinn der *Sachverständigenrat* (Fn. 2), S. 310f.

mehrere Minijobs umwandeln. Bei der Schwarzarbeit geht es ferner im Einzelfall um Leistungsmissbrauch, um die Unterschreitung von Pfändungsgrenzen oder um eine fehlende Arbeitserlaubnis, so dass Legalisierungsgewinne in diesem Sektor insgesamt gesehen gering ausfallen dürften. Die Zahlen der geringfügigen Beschäftigung in Privathaushalten sprechen für sich: Obwohl die Belastung durch eine Beschäftigung im Privathaushalt für die Arbeitgeber gering ist und ohne Abwälzung auf die Beschäftigten, zumal von denen, die es angeht, leicht zu tragen wäre, gehen die Beschäftigten auf die gebotene legale Gestaltung meist nicht ein.[105]

bb) Die Abgabenprivilegierung der geringfügigen Beschäftigung hat etliche viel diskutierte *Nachteile*.[106] Angeführt wird insbesondere, dass sie der Sozialversicherung Beitragszahler entziehe, die Zunahme niedrig entlohnter Beschäftigung fördere und eine Barriere gegen die Ausweitung der Erwerbstätigkeit in Richtung einer Vollzeittätigkeit errichte.[107] Die nach wie vor[108] bezweckte Förderung von Beschäftigungsmöglichkeiten im Niedriglohnbereich mit dem auf den Arbeitsmarkt fixierten Gedanken, es sei besser, wenn jemand eine schlechte Arbeit habe als keine, führt indessen zu der Frage, ob nicht auf die Dauer die *Ertragsschwäche solcher geförderter Beschäftigungsverhältnisse zu einem gravierenden Hauptproblem wird*, welches die erhofften Vorteile zu Nebenpunkten werden lässt: Der Ertrag der Arbeit in abgabenprivilegierten geringfügigen Beschäftigungsverhältnissen ist für die Existenzsicherung vielfach zu dünn, so dass die schwachen Erträge in signifikantem Maß aus Steuermitteln aufgestockt werden müssen; Vorsorge, insbesondere im Hinblick auf die in einer *alternden Gesellschaft* bedeutsamer und teurer werdenden Risiken der Krankheit, der Pflegebedürftigkeit und des Alters, ist mit der abgabenprivilegierten geringfügigen Beschäftigung nicht verbunden, es entsteht vielmehr Diskontinuität in Erwerbsbiogra-

---

[105] Im Dezember 2008 waren in geschätzten 4,5 Mio. Privathaushalten, die eine Hilfe beschäftigen (neueste Berechnungen des IW Köln, vgl. Pressestatement, 24. 2. 2009, Pressekonferenz „Arbeitsplatz Privathaushalt"), nur knapp 173 000 geringfügig Beschäftigte gemeldet, vgl. Deutsche Rentenversicherung Knappschaft-Bahn-See/Minijob-Zentrale (Hrsg.) (Fn. 64), S. 8.

[106] *Bofinger u. a.*, Vorrang für das reguläre Arbeitsverhältnis: Ein Konzept für Existenz sichernde Beschäftigung im Niedriglohnbereich, 2006, S. 26 ff.; *Brandt* (Fn. 89), 446 (447 ff.); DGB-Bundesvorstand (Hrsg.), Mini-Jobs im Widerstreit politischer Interessen, 2008, S. 3 ff.; *Feldhoff*, AuR 1999, 249 (250 ff.); *Koch/Bäder*, Sozialer Fortschritt 2003, 94 (98 ff.); *Sachverständigenrat* (Fn. 2), S. 266, 324.

[107] Vgl. BT-Drs. 14/441, S. 24; *Fertig/Kluve*, Vierteljahreshefte zur Wirtschaftsforschung 75 (2006), S. 97 (113); Institut zur Zukunft der Arbeit (Hrsg.), IZA COMPACT Sonderausgabe Dezember 2008, 1 (7); *Kalina/Weinkopf*, IAT-Report 2006–03, S. 7 f.; Rheinisch-Westfälisches Institut für Wirtschaftsforschung (Hrsg.), Aspekte der Entwicklung der Minijobs, 2004, S. 10.

[108] Koalitionsvertrag (Fn. 74), S. 22.

phien. Mit dem Wegfall der Begrenzung geringfügiger Beschäftigung auf 15 Wochenstunden ist aus dieser Perspektive von Rechts wegen auch ein Stundenlohn unter 6 € möglich und in der Wirklichkeit anzutreffen.[109] Ein Nachteil der Privilegierung liegt sodann darin, dass diejenigen, die – vor allem im Niedriglohnsektor – eine vollwertige (Teilzeit-)Beschäftigung mit Risikovorsorge suchen, mit *Personenkreisen konkurrieren*, die wegen einer vorhandenen und ihnen hinreichend erscheinenden Absicherung (als Beamte oder als Beschäftigte mit einer Hauptbeschäftigung oder als in der Krankenversicherung Familienversicherte oder als Rentner mit – was zunehmen wird – der Notwendigkeit oder dem Interesse an Hinzuverdienst oder als Schüler oder Studierende) *vor allem auf das Nettoeinkommen Wert legen.* Diese Personenkreise sind gegenüber schlechter Bezahlung weniger empfindlich und nehmen die mit den landläufig sog. „Lohnnebenkosten" verbundenen *Sicherungsvorteile* (bei Renten- und Arbeitslosengeld) und erst recht aus der Privilegierung am Ende resultierende *negative Beitragsauswirkungen* (bei bestehender Absicherung insbesondere des Krankheitsrisikos) nicht in den Blick. Die Abgabenprivilegierung sorgt in diesem Sinn dafür, dass im Niedriglohnsektor weniger Normalarbeitsplätze für diejenigen zur Verfügung stehen, die eine vollwertige Beschäftigung suchen.[110] Dem individuellen Vorteil der geringfügig Nebenbeschäftigten[111] (im Dezember 2008 2,2 Mio.) stehen nennenswerte Vorteile der Privilegierung *für die Gesellschaft allgemein* ohnehin nicht gegenüber. Dass die geringfügig entlohnte Beschäftigung, wie dargelegt, inzwischen zu einem Hinzuverdienstmodell während des ALG-II-Bezugs geworden ist,[112] ist ein weiterer Nachteil; die Hinzuverdienstregelungen des SGB II (vgl. § 30 SGB II) eröffnen die Möglichkeit, sich in einer Kombination aus geringfügig entlohnter Beschäftigung und Transferleistungen einzurichten und sich an diese Situation zu gewöhnen. Die Ausweitung der Erwerbstätigkeit bis hin zu einer Vollzeitbeschäftigung wird dadurch, zumal im Niedriglohnbereich, unattraktiv.

cc) Es erfolgt also, wenn die dargelegten Gesichtspunkte zutreffen, unter dem Strich eine *Steuerung in die falsche Richtung* und nicht in die Richtung einer nachhaltig die Existenz sichernden Erwerbstätigkeit. Sowohl das Angebot als auch die Nachfrage nach sozialversicherungspflichtiger Beschäftigung wird unter dem Strich durch die Abgabenprivilegierung geringfügig entlohnter Beschäftigung kon-

---

[109] Vgl. *Brandt* (Fn. 89), 446 (448), m. w. N.

[110] Vgl. *Dietz/Walwei*, Gesundheits- und Sozialpolitik 2007, S. 10 (11).

[111] Dazu *Rolfs*, Das Versicherungsprinzip im Sozialversicherungsrecht, 2000, S. 259 ff.

[112] Siehe oben S. 31 f. und stellvertretend *Spellbrink* (Fn. 87), S. 163 (169 f.).

terkariert, weil sie Anreize setzt, gerade nicht in einem Normalarbeitsverhältnis tätig zu werden. Es ist die Erwartung in hohem Maß plausibel, dass ein beachtlicher Teil der gegenwärtig in geringfügiger Beschäftigung ausgeübten Tätigkeiten, weil diese benötigt werden, in Normalarbeitsverhältnisse oder sozialversicherungspflichtige Teilzeitbeschäftigungen umgewandelt werden würde. Wir müssten nicht befürchten, ohne die Abgabenprivilegierung in der Gastronomie vor verschlossenen Türen zu stehen.

dd) In hohem Maß plausibel ist schließlich, dass Arbeitgeber und Arbeitnehmer bei geringfügig entlohnter Beschäftigung, die typischerweise auch nicht mit Aufstiegsmöglichkeiten verbunden ist, ein geringes Interesse an der *Qualifizierung* entwickeln,[113] so dass sich in dem für die Zukunftsfähigkeit der Arbeitsbeziehungen sehr wesentlichen Punkt der Ausbildung und Fortbildung keine Perspektiven ergeben. Der besonders hohe Stellenwert einer Verbesserung der Qualifikation, der ja am Ende aus niedrig entlohnter Beschäftigung herausführen könnte, wird an dieser Stelle somit nicht unterstützt. Schließlich ist seit langem bekannt, dass die mit der geringfügigen Beschäftigung verbundenen Nachteile *Frauen* signifikant stärker betreffen als Männer.[114] Wenn auch der EuGH zu Recht in den Bestimmungen zur geringfügigen Beschäftigung (in der damaligen Ausgestaltung) keine Diskriminierung aufgrund des Geschlechts erblickt hat,[115] liegt darin in Bezug auf die gesellschaftspolitische Zukunftsperspektive der Abgabenprivilegierung ein wesentlicher Gesichtspunkt. Um eine nachhaltig zukunftsfähige und von Transferleistungen unabhängige Existenzsicherung der Frauen und der Haushalte[116] zu erreichen und um die Finanzierungsbasis der sozialen Sicherung in einer alternden Gesellschaft zu sichern, wird auf die Dauer eine stärkere Erwerbsbeteiligung der Frauen notwendig sein.[117]

Unter dem Strich dürften, zumal auf die Dauer gesehen, die Nachteile der Abgabenprivilegierung geringfügiger Beschäftigungsverhältnisse aus dem Blickwinkel der Gesellschaft betrachtet die Vorteile beträchtlich überwiegen.

---

[113] Siehe stellvertretend *Brandt* (Fn. 89), 446 (449).

[114] Im Dezember 2008 waren rund 65% der geringfügig Beschäftigten Frauen.

[115] *EuGH* 14. 12. 1995 – C-317/93 – NZA 1996, 129 ff. und *EuGH* 14. 12. 1995 – C-444/93 – NZA 1996, 131 ff. Näher *Rolfs* (Fn. 111), S. 252 ff.

[116] Zur gegenwärtigen Arbeitsteilung in Partnerschaften vgl. *Dethloff* (Fn. 58), S. A 16 ff., m. Nachw.

[117] Vgl. BMFSFJ (Hrsg.), Gender Datenreport, 2. Erwerbstätigkeit – Arbeitsmarktintegration von Frauen und Männern, 2005, S. 101 f. Zur gegenwärtigen Erwerbsbeteiligung der Frauen siehe auch BMFSFJ u. a. (Hrsg.), 3. Bilanz Chancengleichheit – Europa im Blick, 2008, S. 32 ff.

f) Folgerungen und Empfehlungen

aa) Änderung der Rechtslage

Aus dem Dargelegten folgt die *Empfehlung zu prüfen, ob nicht die Abgabenprivilegierung der geringfügigen Beschäftigung beseitigt werden sollte.*[118] Dies zu tun, ist in den letzten Jahren vielfach vorgeschlagen worden, namentlich auch vom Sachverständigenrat zur Begutachtung der gesamtwirtschaftlichen Entwicklung, mit Nachdruck zuletzt in seinem Jahresgutachten 2008/2009.[119] Insbesondere die Privilegierung der geringfügigen Beschäftigung im Nebenerwerb findet keine tragfähige Begründung. Die rechtliche Entwicklung der geringfügigen Beschäftigung in ihrer durch das Zweite Gesetz für moderne Dienstleistungen am Arbeitsmarkt 2003 geschaffenen Gestalt nimmt, wie auch die Gesetzesmaterialien belegen, wesentliche Gesichtspunkte der Problematik wie insbesondere den – aus der Perspektive des geltenden Sozialrechtssystems mit der an die Beschäftigung anknüpfenden Sozialversicherung im Zentrum – notwendigen Ertrag abhängiger Arbeit unter Einschluss der Erwirtschaftung einer ausreichenden Risikovorsorge nicht in den Blick. Die geringfügige Beschäftigung hat dabei inzwischen eine Dimension erreicht, welche mit *Grundkonzeptionen der geltenden Rechtsordnung im Privatrecht und im Sozialrecht nicht mehr in Einklang steht* und die zu hohen, aus dem Steueraufkommen der Zukunft zu bewältigenden Belastungen führt.

Die Abgabenprivilegierung steht (1) mit dem *Privatrecht* insofern nicht in Einklang, als sie die Marktmechanismen bei Abschluss des Arbeitsvertrags teilweise aushebelt;[120] es ist in hohem Maß plausibel und nahe liegende Praxis, dass Arbeitgeber und Arbeitnehmer bei Vertragsschluss zu einer Entgeltvereinbarung kommen, bei der ein Nettobetrag herauskommt, welcher die sozialversicherungsrechtliche Abgabenprivilegierung und eine eventuelle Aufstockung des Entgelts mit steuerfinanzierten Transferleistungen berücksichtigt. Unter dem Strich bleibt die *subventionsbedingte Veränderung der Marktsituation* für Arbeitnehmer und Arbeitgeber aufkommensneutral, der Verlust wird an die Sozialversicherung und an das Steueraufkommen weitergeschoben. (2) Mit dem geltenden Konzept des *Sozialrechts* steht die Abgabenprivilegierung nicht in Übereinstimmung, weil sie wegen ihrer Dimension inzwischen die *Sozialversicherung als das primäre Modell* der sozialen Sicherheit nachhaltig schwächt. Vor dem Hintergrund des nach wie vor primär auf der Vorsorge durch Versicherung beruhenden sozialrechtlichen Rechtsrahmens besteht ein Interesse der Gesellschaft daran, auf der einen Seite die Beitragsbasis der Sozialversicherung zu erhalten und so auf der anderen Seite Leistungskürzungen, welche die Dignität des

[118] Allerdings fasst die Bundesregierung ausweislich des Koalitionsvertrags (Fn. 74), S. 22, die Erhöhung und Dynamisierung der Grenze sozialversicherungsfreier Minijobs ins Auge.

[119] Siehe *Sachverständigenrat* (Fn. 2), S. 266, 310, 311.

[120] Vgl. *Richardi*, BB 2009, Heft 37, Die Erste Seite. Siehe auch unten S. 88 ff.

Systems angreifen, nach Möglichkeit zu verhindern.[121] Der eingeschlagene Pfad setzt keinen Anreiz zur Aufnahme einer Vollzeittätigkeit mit existenzsicherndem Ertrag und weist nicht den Weg in die sozialrechtlich in erster Linie angestrebte sozialversicherte Beschäftigung. An die Stelle sozialversicherungsrechtlich vermittelter Vorsorge tritt, *ohne dass dies auf einem erkennbaren grundsätzlichen Reformkonzept* beruhen würde, ein in der Dimension nicht bekannter Ausgleich aus Steuermitteln, der, in einer alternden Gesellschaft, von der nächsten Generation fortzuführen sein wird.

Im Grunde existiert die abgabenprivilegierte geringfügige Beschäftigung im Wesentlichen *wegen ihrer Abgabenprivilegierung.*

bb) Verfassungsmäßigkeit

Die Beseitigung der Abgabenprivilegierung geringfügiger Beschäftigungsverhältnisse liegt (ohne dass dies hier näher dargelegt werden müsste) im Rahmen des Gestaltungsfreiraums des staatlichen Gesetzgebers. Verfassungsrechtlich ist im Hinblick auf Art. 12 I, 20 III GG geboten, durch geeignete Vorkehrungen *Anpassungsschwierigkeiten,* insbesondere der Unternehmen, durch eine Übergangsregelung oder durch die Gewährung eines Übergangszeitraums zu begegnen.[122]

cc) Akzeptanzprobleme

Dass bei einer Abschaffung der Abgabenprivilegierung geringfügiger Beschäftigungen Akzeptanzprobleme auftreten werden, zeigen die Reaktionen auf die Gesetzesänderungen des Jahres 1999. Die abgabenprivilegierte geringfügige Beschäftigung ist sowohl für Arbeitgeber als auch für Arbeitnehmer attraktiv. Umso undankbarer wäre es für die Politik, die Verabschiedung der Abgabenprivilegierung einzuleiten. Auf der Grundlage des Dargelegten erscheint dies gleichwohl im Interesse der Gesellschaft geboten.

dd) Notwendige rechtliche Anpassungen

Wollte man die Abgabenprivilegierung der geringfügigen Beschäftigung beseitigen, müsste man im Sozialrecht Anpassungen vornehmen. In dem hier gesetzten Rahmen ist nur die Notwendigkeit anzusprechen, in Bezug auf Kranken- und Pflegeversicherung dafür zu sorgen, dass der Versicherungsschutz nicht mit Minimalbeiträgen erreicht werden kann. Es versteht sich von selbst, dass eine dem sozialversicherungsrechtlichen Prinzip folgende Beitragsbemessung auf der Grundlage des Arbeitsentgelts (§§ 226ff. SGB V) bei niedrigen

---

[121] Siehe *Waltermann*, NJW 2008, 2529 (2535), und näher unten, S. 105ff., 112ff.).
[122] Vgl. dazu *BVerfG* 20. 4. 1999 – 1 BvQ 2/99 – NZA 1999, 583f.; *BVerfG* 28. 7. 1999 – 1 BvQ 5/99 – NZA 1999, 973f.

Einkünften aus einer geringfügigen Teilzeitbeschäftigung den auf Solidarität beruhenden sozialen Ausgleich überstrapazieren würde.[123] Bei der Ausgestaltung der Beitragstragung sollte die Verschränkung der Thematik mit der sozialhilferechtlichen Mindestsicherung beachtet und eine insoweit stimmige Lösung herbeigeführt werden.[124]

Im Einzelnen entstehen insoweit keine Folgefragen im Hinblick auf die *geringfügige Nebenbeschäftigung*; bei dieser käme es zur Zusammenrechnung. Soweit, wie in der Kranken- und Pflegeversicherung, die Sozialversicherungsleistungen nicht beitragsäquivalent sind, wird in einer Übergangszeit das angedeutete Akzeptanzproblem hier besonders deutlich werden. Zu lösen wäre die Frage, wie die Nebenbeschäftigung in der Arbeitslosenversicherung (auch neben einer Haupttätigkeit als Selbständiger oder Beamter) behandelt werden sollte. Im Hinblick auf die Kranken- und Pflegeversicherung der *ausschließlich geringfügig Beschäftigten* hätte die früher vorgeschlagene steuerfinanzierte Bezuschussung einer am erzielten Einkommen orientierten Eigenbeitragsleistung des Versicherten[125] wiederum den Effekt eines Kombilohns, der in dieser Untersuchung durchweg als fragwürdig eingestuft wird;[126] die Aufstockung von Beitragsleistungen aus Steuermitteln unterscheidet sich in ihren Wirkungen auf den Marktmechanismus beim Abschluss des Arbeitsvertrags nicht von der Abgabenprivilegierung, ein Steuerzuschuss könnte nur die Überstrapazierung der Versichertengemeinschaft ausschließen. Vorzuziehen wäre daher eine Anpassung mit Kohärenz zur Versicherung freiwilliger Mitglieder und zu der eingeführten Auffangversicherung gem. § 5 I Nr. 13 SGB V (vgl. auch § 227 SGB V, § 57 I SGB XI); hat ein Mitglied der gesetzlichen Krankenversicherung nur geringe oder keine Einnahmen, sind dort nach Maßgabe von § 240 IV 1 SGB V *fiktive Mindesteinnahmen* in Ansatz zu bringen,[127] so dass zum einen der gebotene Ausgleich von Leistung und Gegenleistung erreicht und zum anderen die Versicherung zu unangemessen niedrigen Beiträgen verhindert wird.

ee) Beitragsrechtliche Gleitzone

Eingeführt mit Wirkung vom 1. 4. 2003, sieht § 20 II SGB IV eine beitragsrechtliche Gleitzone vor, wenn das aus dem Beschäftigungsverhältnis erzielte Arbeitsentgelt zwischen 400,01 € und 800 € im Monat liegt und die Grenze von 800 € im Monat regelmäßig nicht überschreitet; bei mehreren Beschäftigungsverhältnissen ist das insgesamt erzielte Arbeitsentgelt maßgebend.

Innerhalb dieser Gleitzone besteht für die Beschäftigten Versicherungspflicht (und damit Versicherungsschutz) in allen Zweigen der gesetzlichen Sozialversicherung. Es ist aber die Beitragsbelastung der Arbeitnehmer *gestaffelt*, sie steigt allmählich auf die hälftige Beitragsverteilung zwischen Arbeitgeber und Arbeitnehmer an. Im Einzelnen wird die Beitragsverteilung für Arbeitsentgelt in der Gleitzone ermittelt, indem ein gegenüber dem Arbeitsentgelt geringeres Bemessungsentgelt zugrunde gelegt wird

---

[123] Siehe näher *Rolfs* (Fn. 111), S. 254 ff.

[124] Näher *Schulin*, Verh. d. 59. DJT 1992, 1992, S. E 61 f.; ferner *Rolfs* (Fn. 111), S. 253 f.

[125] In diesem Sinn z. B. *Rolfs* (Fn. 111), S. 256.

[126] Siehe oben S. 40 und unten S. 88 ff.

[127] Dazu GKV-Spitzenverband, Einheitliche Grundsätze v. 27. 10. 2008, dort insb. § 3 III und S. 26 f.

(§ 344 IV SGB III, § 226 IV SGB V, § 163 X SGB VI, § 57 I SGB XI), wobei der Arbeitgeber die Hälfte des ohne die besondere Gleitzonenregelung an sich zu entrichteten Beitrags, der Versicherte den Rest trägt (vgl. § 346 I a SGB III, § 249 IV SGB V, § 168 I Nr. 1 d SGB VI, § 58 V 2 SGB XI). Die Gleitzonenregelung steht in einem gedanklichen Zusammenhang mit der Abgabenprivilegierung geringfügiger Beschäftigung. Wollte man die Abgabenprivilegierung der geringfügigen Beschäftigung abschaffen, müsste man die Regelung über die progressiv steigende Beitragspflicht der Arbeitnehmer in der Gleitzone mit auf den Prüfstand stellen. Es ist zu fragen, ob überhaupt Privilegierungen bei der Beitragsbelastung auf Arbeitnehmer- und Arbeitgeberseite zielführend sind. Dabei ist zu bedenken, dass im deutschen Sozialversicherungssystem ohnehin die Beitragslast nicht für alle Einkommen gleich hoch ist, sondern sich prozentual am Arbeitsentgelt orientiert. Beitragsvergünstigungen auf der Seite der Arbeitnehmer oder der Arbeitgeber sind bisher im Sozialrecht auch nur vereinzelt anzutreffen, außerhalb der Gleitzonenregelung in § 421 k SGB III; danach entfällt der Arbeitgeberanteil zur Arbeitslosenversicherung für bis zum 1. 1. 2008 begründete Beschäftigungsverhältnisse mit zuvor Arbeitslosen, die das 55. Lebensjahr vollendet haben. Sodann beziehen die Eingliederungszuschüsse gem. §§ 217 ff. SGB III zum Teil die Beitragsanteile des Arbeitgebers in die Förderung mit ein (z. B. § 220 I Nr. 2 SGB III).

Für sich genommen hat die Beitragsprivilegierung der Arbeitnehmer in der Gleitzone ähnliche Anreizwirkungen wie die geringfügige Beschäftigung. Es ist deshalb vor dem Hintergrund der oben abgegebenen Bewertung auch die sozialrechtliche Regelung über die beitragsrechtliche Gleitzone auf den Prüfstand zu stellen.

2. Leiharbeit

a) Tatsächliche Entwicklungen und Erträge

aa) Die gewerbsmäßige Arbeitnehmerüberlassung, bis zur Entscheidung des Bundesverfassungsgerichts von 1967[128] verboten und nach dem Inkrafttreten des AÜG 1972 im Interesse des Arbeitnehmerschutzes zunächst durch Restriktion gekennzeichnet, ist nach einem Paradigmenwechsel, vollzogen mit dem Ersten Gesetz für moderne Dienstleistungen am Arbeitsmarkt,[129] *heute beschäftigungspolitisch ausgerichtet.*[130] Die Zahl der Leiharbeitsverhältnisse ist seit dem Inkrafttreten des AÜG ständig angestiegen, gleichwohl bisher aber doch begrenzt geblieben:[131] Mit rund 823 000 Leiharbeitsver-

---

[128] *BVerfG* 4. 4. 1967 – 1 BvR 84/65 – BVerfGE 21, 261 ff.

[129] BGBl. I 2002, S. 4607.

[130] Siehe zur Entwicklung stellvertretend *Hamann*, EuZA 2009, 287 (288 ff.); Schüren/*Schüren*, AÜG, 3. Aufl., 2007, Einleitung Rn. 22 ff.; Thüsing/*Thüsing*, AÜG, 2. Aufl., 2008, Einführung Rn. 26 ff.; *J. Ulber*, AÜG, 3. Aufl., 2006, Einleitung B Rn. 1 ff.

[131] 1973 ca. 34 000; 1980 ca. 47 000; 1990 ca. 123 000; 2000 ca. 339 000; 2004 ca. 399 000; 2006 ca. 598 000; 2008 ca. 794 000. Vgl. www.pub.arbeitsagentur.de.

hältnissen im Juli 2008 (vor den Entlassungen in der Folge der Finanzmarktkrise, danach waren es rund 506000 im Mai 2009, 580000 im Oktober 2009)[132] betrug der Anteil der Leiharbeitsverhältnisse an den sozialversicherungspflichtigen Beschäftigungsverhältnissen 2,6%.[133] Die dargelegte Entwicklung findet ihre Parallelen im Ausland. Was die Bedeutung der Leiharbeit in Zahlen angeht, liegt Deutschland im internationalen Vergleich im Mittelfeld.[134]

bb) Im Einzelnen ist über den stetigen Anstieg der Zahl der Leiharbeitsverhältnisse hinaus zu erkennen, dass die Beschäftigung in der Leiharbeit kaum Schwankungen aufweist. Leiharbeit wird überwiegend von größeren Betrieben nachgefragt, der Schwerpunkt liegt im verarbeitenden Gewerbe.[135] Es gibt eine Tendenz zur Gründung „eigener Verleihfirmen", die insbesondere Unternehmen in Konzernen mit Leiharbeitnehmern versorgen. Es arbeiten 34% der Leiharbeitnehmer in Hilfsberufen; ungelernte Tätigkeiten, vorwiegend im gewerblichen Bereich, haben den größten Anteil.[136] Etwa 25% der Leiharbeitnehmer haben keinen beruflichen Abschluss.[137] Auch Arbeitskräfte, die über einen beruflichen Abschluss verfügen, werden in der Leiharbeit jedoch häufig bei Hilfstätigkeiten eingesetzt. Der Anteil der Frauen liegt in Deutschland bei rund 25%, bei steigender Tendenz.[138] Was das Alter angeht, ist die Gruppe der 30- bis 44-Jährigen am stärksten vertreten.[139] Der Organisationsgrad von Leiharbeitskräften ist sehr gering; nach Angaben des DGB[140] waren im Jahr 2008 in den DGB-Gewerkschaften etwas mehr als 20000 Leiharbeitnehmer (das sind ca. 2,5% aller Leiharbeitnehmer) organisiert.

Die nähere Betrachtung der Leiharbeitsverhältnisse ergibt weiterhin folgende wesentliche Befunde: Auch wenn Leiharbeitsverhältnisse (also Arbeitsverhältnisse zwischen Verleiher und Leiharbeitnehmer) unbefristet eingegangen werden, haben sie regelmäßig nur *kurze Dauer.* Im ersten Halbjahr 2008 arbeiteten 46% der Leiharbeit-

[132] Vgl. Bundeagentur für Arbeit (Hrsg.), Der Arbeits- und Ausbildungsmarkt in Deutschland, Monatsbericht Oktober 2009, S. 58 und Monatsbericht Dezember und das Jahr 2009, S. 74.

[133] Statistik der Bundesagentur für Arbeit, Arbeitsmarkt in Zahlen, Arbeitnehmerüberlassung 1. Halbjahr 2008, Tabelle 5; Bundesagentur für Arbeit, Arbeitsmarktberichterstattung: Der Arbeitsmarkt in Deutschland, Zeitarbeit – Entwicklung Juni 1998 bis Juni 2008, 2009, S. 12.

[134] Vgl. *Sachverständigenrat* (Fn. 2), S. 304 Schaubild 72.

[135] Vgl. *Promberger*, Leiharbeit im Betrieb, Strukturen, Kontexte und Handhabung einer atypischen Beschäftigungsform, 2006, S. 57ff.; *Seifert/Brehmer*, WSI-Mitteilungen 2008, 335 (338); *Weinkopf/Vanselow,* WISO Diskurs 6/2008, S. 17.

[136] Statistik der Bundesagentur für Arbeit (Fn. 133), Tabelle 8; *Mai*, Wirtschaft und Statistik 2008, 469 (473f.).

[137] *Puch*, Wirtschaft und Statistik 2008, 298 (300).

[138] Vgl. Statistik der Bundesagentur für Arbeit (Fn. 133), Tabellen 5, 6 und 7.

[139] *Mai* (Fn. 136), 469 (474).

[140] DGB-Bundesvorstand, Arbeitsmarkt aktuell 7/2008, 1 (4).

nehmer länger als drei Monate, 41% der Leiharbeitnehmer arbeiteten zwischen einer Woche und drei Monaten und 11% nur für einige Tage.[141] Länger als ein Jahr dauerten durchschnittlich nur ca. 13–15% aller Leiharbeitsverhältnisse.[142] Die Arbeitgeberkündigung wird durch sehr kurze Kündigungsfristen in den einschlägigen Tarifverträgen begünstigt. So kann gem. § 9.3 des Manteltarifvertrags (MTV) zwischen den DGB-Tarifgemeinschaften und dem Bundesverband Zeitarbeit (BZA) das Leiharbeitsverhältnis in den ersten drei Monaten innerhalb einer Woche gekündigt werden, gem. § 2.2 des MTV zwischen DGB und dem Interessenverband Deutscher Zeitarbeitsunternehmen (iGZ) kann in den ersten vier Wochen mit einer Kündigungsfrist von zwei Tagen, bis zum Ablauf des 2. Monats mit einer Frist von einer Woche gekündigt werden. Aus den dargelegten Gegebenheiten folgt ein beträchtlicher Umschlag der Beschäftigung, welcher sich auch im Stellenangebot der Arbeitsagenturen spiegelt (im Jahr 2008 meldeten Verleiher den Arbeitsagenturen durchschnittlich 128600 zu besetzende Stellen; jedes dritte Stellenangebot entfiel damit auf die Leiharbeitsbranche).[143] Befristet waren im Jahr 2006 31% der Leiharbeitsverhältnisse.[144]

cc) Die in Leiharbeitsverhältnissen der gewerblichen Wirtschaft und der nicht besonders spezialisierten Dienstleistungstätigkeit erzielten *Arbeitsentgelte* liegen, zum Teil beträchtlich, unter den Arbeitsentgelten der vergleichbaren Normalarbeitsverhältnisse. Im Einzelnen:

(1) Der erste bundesweit gültige Entgelttarifvertrag vom 24. 2. 2003,[145] abgeschlossen zwischen der Tarifgemeinschaft Christliche Gewerkschaften Zeitarbeit und PSA (CGZP) und der Interessengemeinschaft Nordbayerischer Zeitarbeitsunternehmen e.V. (INZ), sah für einfache *Anlerntätigkeiten* einen „Grundlohn“ von 6,30 € (West) bzw. 5,70 € (Ost) vor. Für die ersten vier Entgeltgruppen war ein Zuschlag für die Zeiten vorgesehen, in denen der Leiharbeitnehmer in einem Unternehmen eingesetzt wurde. In der untersten Lohngruppe betrug dieser Zuschlag 0,40 € (West) bzw. 0,50 € (Ost). Der Grundlohn für einen *Facharbeiter* mit Berufserfahrung (Entgeltgruppe 5) lag im Westen bei 10,20 € und im Osten bei 8,20 €. In einem gemeinsamen Eckpunktepapier vom 20. 2. 2003 hatten sich zuvor die DGB-Tarifgemeinschaften und der BZA auf einen „Regelstundensatz“ von 8,40 € für *un- und angelernte* Leiharbeitnehmer und von 10,60 € für *Facharbeiter* (ohne Erfahrung) verständigt. Für schwer zu vermittelnde Leiharbeitnehmer sollte der Regelstundensatz durch einen „Mindeststundensatz“ von 6,85 € vorübergehend unterschritten werden können.[146] Das Entgeltniveau im schließlich am 22. 7. 2003 zwischen den DGB-Tarifgemeinschaften und dem BZA vereinbarten Entgelttarifvertrag blieb hinter dem Eckpunktepapier zurück, lag aber über dem Tarifniveau, auf das sich CGZP und INZ verständigt hatten.

Im Juli 2008 lag der tarifliche Stundenlohn der dominierenden Tarifwerke der DGB-Tarifgemeinschaften mit dem BZA und dem iGZ sowie zwischen der CGZP

---

[141] Vgl. Statistik der Bundesagentur für Arbeit (Fn. 133), Tabelle 4.

[142] *Antoni/Jahn*, IAB-Kurzbericht 14/2006, 1 (4f.), (Untersuchung für die Jahre 1985–2003).

[143] Bundesagentur für Arbeit, Arbeitsmarktberichterstattung: Der Arbeitsmarkt in Deutschland, aktuelle Entwicklungen der Zeitarbeit, 2009, S. 15.

[144] *Puch* (Fn. 137), 298 (299).

[145] Im Internet abrufbar unter http://www.labournet.de/diskussion/arbeit/realpolitik/psa/cgb.html.

[146] Vgl. *Urban-Crell/Schulz*, Arbeitnehmerüberlassung und Arbeitsvermittlung, 2003, B Rechtsgrundlagen Rn. 164, sowie Dokument-Nr. DE0303202N unter www.eurofound.europa.eu.

und dem Arbeitgeberverband mittelständischer Personaldienstleister (AMP) für *Anlerntätigkeiten* zwischen 7,21 € und 7,38 € (West) bzw. 6,00 € und 6,42 € (Ost). Der Tarifvertrag AMP/CGZP enthält für die ersten sechs Beschäftigungsmonate (für alle Lohngruppen) eine Absenkungsmöglichkeit um 9,5%, so dass Ungelernte in der Probezeit nach diesem Tarifvertrag einen Stundenlohn von 6,53 € statt 7,21 € (West) bzw. 5,43 € statt 6,00 € (Ost) erhalten. Für *Facharbeiter* mit mindestens dreijähriger abgeschlossener Berufsausbildung und mehrjähriger Berufserfahrung lagen die tariflichen Stundenlöhne im Juli 2008 zwischen 9,91 € (bzw. abgesenkt 9,80 €) und 10,83 € in Westdeutschland und 8,62 € (bzw. abgesenkt 7,98 €) und 9,30 € in Ostdeutschland.[147]

(2) Der *Abgleich mit vergleichbaren Normalarbeitsverhältnissen* ergibt folgendes Bild: Im Bereich Metall/Elektro, dem drittgrößten Einsatzfeld der Leiharbeit,[148] sieht das ERA-Entgeltabkommen[149] für Nordrhein-Westfalen vom 1. 6. 2008 an in der Entgeltgruppe 1, die Arbeitsaufgaben mit einer *Anlernzeit* von bis zu vier Wochen erfasst,[150] ein Stundengrundentgelt von 12,02 € vor. Für *Facharbeiter* mit mindestens dreijähriger abgeschlossener Berufsausbildung und bis zu drei Jahren Berufserfahrung ist ein Stundengrundentgelt von mindestens 13,50 € vorgesehen. Die Mindestlöhne der durch Aufnahme in das AEntG für allgemeinverbindlich erklärten Tarifverträge[151] (ohne das Baugewerbe) lagen 2008 in der untersten Lohngruppe im Westen zwischen 8,15 € und 10,20 €, im Osten zwischen 6,58 € und 10,20 €, also je nach Bereich deutlich über den unteren Tarifgruppen der Zeitarbeit. Eine Untersuchung für Nordrhein-Westfalen kommt zu dem Ergebnis, dass Leiharbeitnehmer im Helferbereich rund 45% weniger verdienen als Helfer in anderen Branchen; die Entgeltdifferenz bei qualifizierteren Tätigkeiten, etwa in Organisations-, Verwaltungs- und Büroberufen, liegt danach bei ca. 35%.[152] Der Entgeltabstand zwischen Leiharbeitnehmern und Nicht-Leiharbeitnehmern hat sich nach dieser Untersuchung zwischen 1999 und 2006 in fast allen Bereichen vergrößert.[153] Vor allem in Firmentarifverträgen werden Löhne

---

[147] Vgl. Anlage zum Entgelttarifvertrag BZA/DGB, Stand 30. 5. 2006; Entgelttarifvertrag iGZ/DGB, Stand 18. 9. 2007; im Internet abrufbar unter www.dgb.de/themen/tarifpolitik/zeitarbeit/index.htm; Entgelttarifvertrag AMP/CGZP WEST und OST, Stand jeweils 9. 7. 2008, abrufbar unter www.amp-info.de/AMP-Tarifvertraege.121.0.html. Siehe auch Elfter Bericht der Bundesregierung über Erfahrungen bei der Anwendung des Arbeitnehmerüberlassungsgesetzes vom 18. 1. 2010, BT-Drs. 17/464, S. 12, mit Zahlen aus jüngster Zeit, auch zu vereinbarten Absenkungen (um bis zu 10% in den alten Bundesländern).

[148] 2008 waren 23% der Leiharbeitnehmer in Metall- und Elektroberufen beschäftigt; in Dienstleistungsberufen und im Bereich der Hilfstätigkeiten sind ca. 31 bzw. 30% aller Leiharbeitnehmer beschäftigt, vgl. Bundesagentur für Arbeit (Fn. 143), S. 9f.

[149] ERA-Entgeltabkommen zwischen Metall NRW und der IG Metall vom 8. 5. 2007.

[150] Vgl. das Punktewertungsverfahren zur Eingruppierung gem. § 3 iVm Anlage 1 ERA-Entgeltrahmenabkommen vom 18. 12. 2003. Weitere Punkte und damit eine höhere Eingruppierung können durch gesteigerte Anforderungen in den Bereichen Handlungs- und Entscheidungsspielraum, Kooperation und ggf. Mitarbeiterführung entstehen.

[151] In den Bereichen Maler- und Lackierhandwerk, Gebäudereinigerhandwerk, Elektrohandwerk-Montage, Dachdeckerhandwerk und Briefdienstleistungen.

[152] Ministerium für Arbeit, Gesundheit und Soziales des Landes Nordrhein-Westfalen (Hrsg.), Zeitarbeit in Nordrhein-Westfalen. Strukturen, Kontexte und Handhabung einer atypischen Beschäftigungsform, 2006, S. 73ff.

[153] Eine Ausnahme hierzu bildet die Berufsgruppe Montierer und Metallberufe, die den Abstand zu Normalarbeitnehmern um 3,7 Prozentpunkte verkleinern konnte,

vereinbart, die das Entgeltniveau in der Entleiher-Branche deutlich unterschreiten.[154] Im Elften Bericht der Bundesregierung[155] wird darauf hingewiesen, dass insbesondere im gewerblichen Bereich angesichts einer wenig aussagekräftigen Beschreibung der Entgeltgruppen in den Tarifverträgen Beschäftigte regelmäßig in die beiden untersten Entgeltgruppen eingruppiert werden. Als Konsequenz des niedrigen Lohngefüges in der Zeitarbeit beziehen ca. 12,6%[156] der Leiharbeitnehmer neben ihrem Lohn Aufstockungsleistungen der steuerfinanzierten *Grundsicherung* nach dem SGB II.

dd) Die Tariflöhne gelten dabei vor dem Hintergrund des geringen Organisationsgrads der Leiharbeitnehmer *nur ganz ausnahmsweise normativ* gem. §§ 1 I, 4 I TVG. Sie gelten, möglich gemacht durch §§ 3 I Nr. 3 S. 3, 9 Nr. 2 Hs. 4 AÜG, nahezu flächendeckend *arbeitsvertraglich:* Es wird in den (Formular-)Arbeitsverträgen auf geschlossene Tarifverträge Bezug genommen. Dabei hat sich die tarifvertragliche Gestaltungspraxis, anders als im rechtswissenschaftlichen Schrifttum vorausgesehen,[157] dahin entwickelt, dass nach dem Vorbild des im Februar 2003 zwischen INZ und CGZP geschlossenen Tarifvertrags zur Leiharbeit Flächentarifverträge zustande kommen, welche im Vergleich mit den im Betrieb des Entleihers für vergleichbare Arbeitnehmer gültigen Entgelten in der Regel erheblich niedriger liegen. Auf diese Tarife wird dann arbeitsvertraglich Bezug genommen.

ee) Die *Vorsorge gegen die sozialen Risiken* folgt bei Leiharbeitsverhältnissen den allgemeinen Regeln. Leiharbeitsverhältnisse sind wie Normalarbeitsverhältnisse *sozialversicherungspflichtig;* in dieser Hinsicht ist das Leiharbeitsverhältnis also nicht atypisch. Der tatsächlich trotz des gesetzlich verankerten und gemeinschaftsrechtlich vorgegebenen Gleichbehandlungsgrundsatzes wegen der in der Bundesrepublik Deutschland entstandenen Tarifpraxis vergleichsweise *niedrige Ertrag* der Leiharbeit führt dabei allerdings in Rentenversicherung und Arbeitslosenversicherung zu einem gegenüber vergleichbaren Normalarbeitsverhältnissen *geringeren Sicherungsniveau* und in der Krankenversicherung und Pflegeversicherung zu einem *geringeren Beitragsaufkommen* der Versicherungsträger bei gleichem Leistungsniveau.

ff) Was schließlich die *Perspektive des Individuums* angeht, kann kein Zweifel daran bestehen, dass eine Anstellung in Leiharbeit (von besonderen Verhältnissen, etwa denen von Spezialisten mit exklusivem Tätigkeitsfeld oder bei Knappheit besonders nachgefragter

---

vgl. Ministerium für Arbeit, Gesundheit und Soziales des Landes Nordrhein-Westfalen (Hrsg.) (Fn. 152), S. 77ff.

154 BT-Drs. 17/464, S. 13, siehe auch oben Fn. 147.

155 A. a. O., S. 17.

156 Vgl. BT-Drs. 16/9657, S. 3.

157 Siehe stellvertretend *Rieble/Klebeck*, NZA 2003, 23ff., 27ff.; *Thüsing*, DB 2003, 446 (448f.); *dens.*, ZfA 2008, 590 (595ff.).

Fachkräfte, wie sie etwa im Krankenhaussektor derzeit vorkommt, abgesehen) auf die Dauer angesichts der mit ihr verbundenen existenziellen Unsicherheit keine befriedigende Perspektive bietet. Meist bildet bisher Leiharbeit in der Erwerbsbiographie jedoch auch eine nur kurze Phase.

Die nicht befriedigende Perspektive wird dadurch weiter getrübt, dass, wie Kontrollprüfungen der Bundesagentur für Arbeit ergeben haben, verbreitet vielfältige Verletzungen arbeitsvertraglicher Pflichten festgestellt werden.[158] Wie bei der abgabenprivilegierten geringfügigen Beschäftigung muss die Frage gestellt werden, ob nicht die besondere Beschäftigungsform der Leiharbeit von vornherein missbrauchsanfälliger ist als das Normalarbeitsverhältnis und woran das liegen könnte. Man hat ja auch der gewerbsmäßigen Leiharbeit bis vor kurzem insoweit beträchtliches Misstrauen entgegengebracht, durch welches der Regelungsrahmen früher maßgeblich geprägt war.

b) Entwicklung der rechtlichen Rahmenbedingungen

Die dargelegten tatsächlichen Entwicklungen beruhen nicht nur auf tatsächlichen Umständen, insbesondere auf tarifvertraglicher und arbeitsvertraglicher Gestaltung der Arbeitsbeziehungen. Im Hintergrund der tatsächlichen Entwicklungen stehen wesentlich auch Veränderungen der rechtlichen Rahmenbedingungen.

aa) Der Rechtsrahmen der Arbeitnehmerüberlassung war bis in die zweite Hälfte der neunziger Jahre durch *gesetzliche Restriktion* gekennzeichnet. Europaweit haben die Staaten dann Ende der neunziger Jahre eine Kehrtwende vollzogen. Heute wird Leiharbeit als *beschäftigungspolitisches Mittel* betrachtet. Die Entwicklung des Rechtsrahmens spiegelt dies wider. Die Lockerung der rechtlichen Begrenzungen lässt sich abseits aller Einzelheiten an der Entwicklung der zulässigen Überlassungsdauer ablesen. Die zulässige Überlassungsdauer betrug in Deutschland seit 1972 drei Monate, seit 1985 sechs Monate, seit 1994 neun Monate, seit 1997 zwölf Monate, seit 2002 24 Monate, und seit 2003 ist die Arbeitnehmerüberlassung zeitlich unbegrenzt möglich. War die Arbeitnehmerüberlassung ferner früher durch ein Befristungsverbot, ein Synchronisationsverbot und ein Wiedereinstellungsverbot gekennzeichnet, ist heute die Befristung von Leiharbeitsverhältnissen nach den allgemeinen Bestimmungen des TzBfG möglich, das Synchronisationsverbot ist aufgehoben, und die Möglichkeiten der Wiedereinstellung folgen den allgemeinen Regeln (die ausweislich des Koalitionsvertrags weiter gelockert werden sollen).[159] Die auf der gegenüber liegenden Seite an die Stelle der früheren Regulierungen getretene wesentliche Begrenzung liegt uni-

---

[158] Siehe zu Einzelheiten Elfter Bericht der Bundesregierung (Fn. 147), S. 31 f.

[159] Koalitionsvertrag (Fn. 74), S. 22.

onsweit[160] in einem – seit November 2008 gemeinschaftsrechtlich auch unterfangenen – *Gleichbehandlungsgebot.* Art. 5 I RL 2008/104/EG[161] gibt vor, dass die wesentlichen Arbeits- und Beschäftigungsbedingungen der Leiharbeitnehmer während der Dauer ihrer Überlassung an ein entleihendes Unternehmen mindestens denjenigen entsprechen müssen, die für sie gelten würden, wenn sie von jenem genannten Unternehmen unmittelbar für den gleichen Arbeitsplatz eingestellt worden wären. Gem. Art. 11 müssen die Vorgaben der RL spätestens drei Jahre nach dem Inkrafttreten (bis zum 5. 12. 2011) umgesetzt sein. Umsetzungsbedarf besteht auch hinsichtlich des AÜG.[162]

bb) In der gegenwärtigen rechtlichen Ausgestaltung der Leiharbeit hat im deutschen Arbeitsrecht und gemeinschaftsrechtlich der *Gleichbehandlungsgrundsatz* zentrale Bedeutung. Die (auch auf der Ebene der Europäischen Union) verfolgten Ziele, den Bedarf der Unternehmen an Flexibilität ihres Personaleinsatzes zu decken und mit Leiharbeit die beschäftigungspolitische Lage zu verbessern, verbinden sich mit Anforderungen an die Qualität des Arbeitsplatzes von Leiharbeitnehmern.[163] Im Zusammenhang mit der Leiharbeit bekommt der von der Europäischen Union verfolgte Gedanke der „*Flexicurity*", der allgemein bisher wenig Konturen aufweist, eine konkrete Gestalt (siehe auch Erwägungsgrund 9 der RL 2008/104/EG): Der mit Leiharbeit unverkennbar verbundenen Flexibilisierung von Arbeitsbeziehungen (namentlich durch Arbeitgebervorteile bei der Abdeckung von Auftragsspitzen und Personalengpässen, durch geringere Transaktionskosten bei der Beendigung der Mitarbeit, durch Verringerung von Annahmeverzugsrisiken und Einstellungsaufwand, etwa durch Ausschreibung und Eignungsprüfung, schließlich auch durch die Einsparung bei Kosten einer betrieblichen Altersversorgung) wird mit dem Gleichbehandlungsgrundsatz, insbesondere mit dem Gebot des *Equal Pay,* ein Schutzgebot gegenübergestellt.[164]

---

[160] Übersicht zu Rechtsbestimmungen in den Mitgliedstaaten: European Foundation for the Improving of Living and Working Conditions (Hrsg.), Temporary Agency Work in an Enlarged European Union, 2006, S. 13 ff.

[161] ABl. EU 2008 L 327, S. 9 ff. Zum gemeinschaftsrechtlichen Rahmen *Thüsing* (Fn. 36), S. 153 ff.

[162] Vgl. *Boemke*, RIW 2009, 177 ff.; *Fuchs*, NZA 2009, 57 ff.; *Hamann*, EuZA 2009, 287 ff.; *Thüsing*, RdA 2009, 118 f.; *Waas*, ZESAR 2009, 207 ff.

[163] Im Sinn der Erwägungsgründe 1, 2, 9 und 14 der RL 2008/104/EG. Vgl. auch die Gesetzesbegründung BT-Drs. 15/25, S. 24. Siehe auch bereits Hanau, Verh. d. 63. DJT 2000, 2000, S. C 71 ff.

[164] Siehe die Erwägungsgründe 11, 12, 15–18 der RL 2008/104/EG, ABl. EU 2008 L 327, S. 9 ff. Die nachfolgenden Überlegungen gehen davon aus, dass der Europäischen Union nicht die Regelungszuständigkeit zur Normierung des Gleichbehand-

Im Einzelnen hat der Gleichbehandlungsgrundsatz in der durch die RL 2008/104/EG verbindlich gemachten und von den Mitgliedstaaten umzusetzenden Konzeption folgende Konturen: Der Grundsatz der Gleichbehandlung bezieht sich auf die wesentlichen Arbeits- und Beschäftigungsbedingungen während der Dauer der Überlassung an einen Entleiher, und zwar bei einer hypothetischen Direkteinstellung beim Entleiher (Art. 5 I 1 RL). Die Richtlinie ermöglicht dabei in Grenzen die Regelung von Ausnahmen durch den nationalen Gesetzgeber und durch die Tarifvertragsparteien: Gem. Art. 5 II RL können die Mitgliedstaaten in Bezug auf das Arbeitsentgelt nach Anhörung der Sozialpartner Abweichungen vom Gleichbehandlungsgrundsatz vorsehen, wenn Leiharbeitnehmer (wie es in Deutschland bisher überwiegend der Fall ist) einen unbefristeten Vertrag mit dem Leiharbeitsunternehmen geschlossen haben und auch in der Zeit zwischen den Überlassungen bezahlt werden.[165] Die Möglichkeiten der Mitgliedstaaten, Abweichungen vom Gleichbehandlungsgrundsatz durch die Tarifvertragsparteien zu eröffnen, beschreibt Art. 5 III RL. Die Gestaltungsmöglichkeiten sind insoweit nicht auf das Arbeitsentgelt beschränkt, sondern auf alle Arbeits- und Beschäftigungsbedingungen der Leiharbeitnehmer bezogen. Voraussetzung der richtlinienkonformen Öffnung ist, dass die tarifvertraglichen Gestaltungen „unter Achtung des Gesamtschutzes von Leiharbeitnehmern" vom Gleichbehandlungsgebot abweichen.[166] Dies folgt Erwägungsgrund 16, nach dem die Mitgliedstaaten den Sozialpartnern, um der Vielfalt der Arbeitsmärkte und der Arbeitsbeziehungen auf flexible Weise gerecht zu werden, gestatten können, Arbeits- und Beschäftigungsbedingungen festzulegen, „sofern das Gesamtschutzniveau für Leiharbeitnehmer gewahrt bleibt". Außerdem sollen gem. Erwägungsgrund 17 die Mitgliedstaaten unter bestimmten, genau festgelegten Umständen auf der Grundlage einer zwischen den Sozialpartnern auf nationaler Ebene geschlossenen Vereinbarung vom Grundsatz der Gleichbehandlung „in beschränktem Maße abweichen dürfen, sofern ein angemessenes Schutzniveau gewährleistet ist".

cc) Das Gleichbehandlungsgebot ist ordnungspolitisch die *sachlich gebotene Kompensation,* welche angesichts der Aufhebung der Restriktionen, denen die Arbeitnehmerüberlassung früher unterworfen war, den rechtlich gebotenen Schutz der einzelnen Arbeitnehmer und der Gesellschaft allgemein vor Arbeitsverhältnissen mit unzureichenden Erträgen, unzureichendem Schutz und mit unzureichender Risikoabsicherung gewährleistet.[167] Es leuchtet ein, wenn früher niemand vertreten hat, dass Leiharbeitnehmer mit vergleichbaren Arbeitskräften im Betrieb des Entleihers, wenn man vom Arbeits-

---

lungsgrundsatzes mit Bezug auf Entgeltfragen fehlt. Siehe zu der streitigen Frage zuletzt mit Darstellung und umf. Nachw. *Hamann,* EuZA 2009, 287 (291ff.). Es ist zu erwarten, dass der EuGH die Regelungszuständigkeit bejahen würde.

[165] Die gem. § 9 Nr. 2 AÜG eröffneten Möglichkeiten, vom Gleichbehandlungsgrundsatz abzuweichen, lassen sich somit nur noch auf Fälle beziehen, in denen ein unbefristetes Arbeitsverhältnis mit dem Leiharbeitsunternehmen besteht. Zu Änderungsbedarf vgl. *Waas,* ZESAR 2009, 207 (211).

[166] Zur Frage des Änderungsbedarfs bei § 9 Nr. 2 AÜG siehe *Boemke,* RIW 2009, 177 (182f.); *Fuchs,* NZA 2009, 57 (61ff.); *Thüsing,* RdA 2009, 118f.; *Waas,* ZESAR 2009, 207 (211f.).

[167] Eingehende Auseinandersetzung mit der Regelung durch das Erste Gesetz für moderne Dienstleistungen am Arbeitsmarkt vom 23. 12. 2002, BGBl. I, S. 4607, bei *Raab,* ZfA 2003, 389 (408ff.). Zum Gehalt des Gleichbehandlungsgebots der RL 2008/104/EG vgl. *Fuchs,* NZA 2009, 57ff.; *Waas,* ZESAR 2009, 207ff.

schutz absieht, gleichgestellt sein müssten. Im deutschen Arbeitsrecht verband sich erst mit der Ausweitung der Überlassungsdauer auf bis zu 24 Monate (mit Wirkung vom 1. 1. 2002 gem. § 10 V AÜG a.F.)[168] die Anforderung, dass bei einer zwölf aufeinander folgende Monate übersteigenden Überlassungsdauer Leiharbeitnehmern die im Betrieb des Entleihers für vergleichbare Arbeitnehmer des Entleihers geltenden Arbeitsbedingungen einschließlich des Arbeitsentgelts zu gewähren waren. Je länger die tatsächliche Beschäftigung im Betrieb des Entleihers dauert, desto weniger ist es in der Tat gerechtfertigt und gesellschaftspolitisch sinnvoll, entliehene Arbeitnehmer in Bezug auf ihre Arbeitsbedingungen und insbesondere in Bezug auf das Arbeitsentgelt anders zu behandeln als Arbeitnehmer des Entleiherbetriebs.[169] Das sinnvolle und zukunftsfähige Flexibilisierungspotential der gewerblichen Arbeitnehmerüberlassung liegt nicht in der Verbilligung der Leiharbeit mit der absehbaren Folge, dass diese atypische Beschäftigungsform in Bezug auf die Arbeitskosten mit Normalarbeitsverhältnissen konkurriert[170] und diese substituiert, sondern in den dargelegten Vorteilen, namentlich der Verringerung der Transaktionskosten insbesondere bei Einstellung und Beendigung der Mitarbeit.[171] In diesem Sinn war die Leiharbeit erwartungsgemäß Puffer zur ersten Abfederung der Auswirkungen der Finanzmarktkrise durch die von ihr betroffenen Unternehmen.

c) Änderungsbedarf aufgrund der RL 2008/104/EG

Mit dem Inkrafttreten der RL 2008/104/EG entsteht im deutschen Arbeitsrecht *Änderungsbedarf.*[172] Was das hier besonders interessierende Gleichbehandlungsgebot betrifft, sollte dessen grundsätzliche Ausrichtung in Anlehnung an Art. 5 I RL 2008/104/EG formuliert werden, so dass die nach der Richtlinie anzustellende hypothetische Betrachtung dem Gesetz entnommen werden kann. Da ohnehin geändert werden muss, spricht nichts dafür, dies der richtlinienkonformen Auslegung durch die Gerichte zu überlassen.[173] Die gem. §§ 3 I Nr. 3 S. 2, 3 und 9 Nr. 2 AÜG eröffnete *Abweichung durch Tarifvertrag* muss, um mit den Vorgaben der Richtlinie in Einklang

[168] Gesetz vom 10. 12. 2001, BGBl. I, S. 3443.

[169] Vgl. BT-Drs. 14/6944, S. 53f. Anders *Picker*, ZfA 2002, 469 (501f.).

[170] Anders namentlich *Böhm*, NZA 2005, 554ff; *Lembke/Distler*, NZA 2006, 952f.; *Raab*, ZfA 2003, 389 (394ff., 410); *Rieble/Klebeck*, NZA 2003, 23ff.; *Röder/Krieger*, DB 2006, 2122ff.

[171] Zutreffend *Fuchs*, NZA 2009, 57 (62).

[172] Siehe zu Einzelheiten die Nachweise o. Fn 166.

[173] Vgl. *Fuchs*, NZA 2009, 57 (61). Anders *Boemke*, RIW 2009, 177 (182); *Thüsing*, RdA 2009, 118f.

zu stehen, eingeschränkt werden; es sollte den Tarifvertragsparteien zur Vorgabe gemacht werden, dass bei der Gestaltung von Abweichungen entsprechend Art. 5 III RL 2008/104/EG das Gesamtschutzniveau für Leiharbeitnehmer gewahrt bleibt. Auch dies sollte nicht der richtlinienkonformen Auslegung durch die Gerichte überlassen bleiben,[174] wenn es auch zutreffend ist, dass bereits *de lege lata* den Tarifparteien die beliebige Abweichung vom Gleichbehandlungsgrundsatz verwehrt bleibt.[175] Ein verbindlich vorgegebener Maßstab wie dieser gehört, auch wenn er gemeinschaftsrechtlich vage formuliert ist, in nationales Recht übernommen.[176] Bisher erweckt das AÜG den (nicht zutreffenden) Eindruck, das Gleichbehandlungsgebot stehe voraussetzungslos zur tarifvertraglichen Disposition. Hinzuweisen ist hier auf die durch Art. 5 II RL 2008/104/EG eröffnete Möglichkeit, gesetzlich Abweichungen vom Gleichbehandlungsgebot vorzusehen, wenn Leiharbeitnehmer mit einem unbefristeten Vertrag auch in der Zeit zwischen den Überlassungen Arbeitsentgelt erhalten (was nach deutschem Recht gem. § 11 IV 2 AÜG nicht abbedungen werden kann); diese Ausnahme erlaubt ein Entgeltkonzept, welches verleihfreie Zeiten angemessen berücksichtigt.[177] Die Ausnahme für erstmals eingestellte zuvor Arbeitslose im Hinblick auf das Entgelt der ersten sechs Arbeitswochen ist nicht richtlinienkonform und spätestens mit dem Ablauf der Umsetzungsfrist aufzuheben.[178]

d) Kritische Stellungnahme

Im hier zu erörternden Zusammenhang interessiert indessen nicht nur der durch die RL 2008/104/EG entstehende (zwingende oder sinnvolle) Änderungsbedarf in den angedeuteten (und in weiteren)[179] Hinsichten. Die ins Auge springende Frage ist, ob die gegenwärtige *Regelung der Tariföffnung* in ihrer Gesamtheit überzeugen kann. Bekanntlich hat sich die *Tarifpraxis* nach dem Inkrafttreten des Ersten Gesetzes für moderne Dienstleistungen am Arbeitsmarkt in eine an sich ungewöhnliche Richtung entwickelt: Die vom Gesetz, welches das Gleichbehandlungsgebot im Ausgangspunkt zwingend gedacht aufstellt, eröffnete Möglichkeit der tarifautonomen Abweichung vom gesetzlichen Gleichbehandlungsgebot ist genutzt worden

[174] Anders *Thüsing*, RdA 2009, 118 f.
[175] Näher sogleich S. 55 ff.
[176] Im Ergebnis ebenso *Boemke*, RIW 2009, 177 (183); *Fuchs*, NZA 2009, 57 (63).
[177] Siehe auch unten S. 63 f.
[178] Siehe stellv. *Fuchs*, NZA 2009, 57 (63); *Hamann*, EuZA 2009, 287 (308).
[179] Siehe dazu die Nachweise o. Fn. 166.

und hat zu einer (mit etwa 95%)[180] flächendeckenden Tarif*geltung* mit zum Teil erheblich niedrigeren Entgelten geführt, wobei vor dem Hintergrund des dargelegten geringen Organisationsgrads Tarifverträge im Bereich der Leiharbeit mangels Tarif*bindung* kaum jemals gem. §§ 1 I, 4 I TVG normativ gelten. Deren flächendeckende praktische Bedeutung beruht vielmehr auf der gem. §§ 3 I Nr. 3 Hs. 3, 9 Nr. 2 Hs. 4 AÜG eröffneten privatautonomen arbeitsvertraglichen Bezugnahme, ist also weitestgehend *(formular-)arbeitsvertraglich vermittelt.* Abseits aller Rechtsfragen ist dadurch *praktisch der Gleichbehandlungsgrundsatz in Bezug auf das Entgelt ohne Bedeutung geblieben.* Im Niedriglohnsektor wird geringes Entgelt zum Teil durch steuerfinanzierte Transferleistungen (Grundsicherung, Kinderzuschlag gem. § 6a BKGG, evtl. Wohngeld) ausgeglichen.

aa) Diese tatsächliche Entwicklung, vom Gesetzgeber nicht intendiert und auch in der Rechtswissenschaft nicht vorhergesehen,[181] konterkariert ohne jeden Zweifel die Ziele des gemeinschaftsrechtlich geforderten und durch das staatliche Gesetz normierten Gleichbehandlungsgebots. Es ist aber auch eine für das Arbeitsrecht „ausgesprochen ungewöhnliche"[182] Regelung geschaffen worden, die nun in ihrer praktischen Handhabung das gesetzliche Gleichbehandlungsgebot ins Leere laufen lässt.[183]

bb) Dabei erscheint es an sich richtig und geboten, wenn § 9 Nr. 2 Hs. 3 AÜG das Gleichbehandlungsgebot für abweichende *Regelungen durch Tarifvertrag* öffnet. Es entspricht dem Stellenwert der Tarifautonomie, wenn ihr, auch vor dem Hintergrund gemeinschaftsrechtlicher Vorgaben und parlamentsgesetzlicher Gebote, Gestaltungsraum zur Selbstregelung im Autonomiebereich belassen bleibt. Das Besondere liegt hier aber darin, dass die Tariföffnung – was der typischen Funktion der Tarifautonomie zuwiderläuft – über die sinnvolle Öffnung für eine passgenauere Ausgestaltung der Leiharbeit hinaus am Ende praktisch nur dazu führen kann, dass tarifvertragliche Gestaltungen vom gesetzlichen (und auch gemeinschaftsrechtlich vorgegebenen) und unbeschadet der *Tarif*öffnung als an sich *zwingendes Recht* konzipierten Gleichbehandlungsgebot *nach unten* abweichen; tarifvertragliche Gestaltungen mit dem Ziel, den durch das gesetzliche Gleichbehandlungsgebot bereits gewährten

---

180 Vgl. *Weinkopf/Vanselow*, (Fn. 135), S. 13 Fn. 5.

181 Vgl. stellvertretend *Rieble/Klebeck*, NZA 2003, 23ff., 27ff.; *Thüsing*, DB 2003, 446 (448f.); *dens.*, ZfA 2008, 590 (595ff.).

182 So zutreffend ErfK/*Wank* (Fn. 70), § 3 AÜG Rn. 22. Kritisch insoweit auch *Boemke/Lembke*, AÜG, 2. Aufl., 2005, § 9 Rn. 94; *Thüsing* (Fn. 35), Rn. 833, („Zweckentfremdung des Tarifvertrags").

183 Vgl. *Dieterich*, in: Bieback u.a. (Hrsg.), Tarifgestützte Mindestlöhne, 2007, S. 103 (106ff.).

Schutz gegenüber dem Schutz- und Entgeltniveau der Stammbelegschaft noch zu verbessern, hat niemand im Sinn.

Natürlich liegt auf der Hand, dass eine Tariföffnung dieses Typs einen niedrigen Organisationsgrad, wie er in der Leiharbeit besteht, für sich allein nicht beflügeln kann, so dass ein Tarifwesen, welches wie in Deutschland mitgliederbezogen ist (vgl. §§ 4 I, 3 I TVG), von der Tariföffnung als solcher nichts hat.[184] Bewegung kommt in die Sache erst durch die in § 9 Nr. 2 Hs. 4 AÜG vorgesehene Erweiterung der Möglichkeiten, vom gesetzlichen Gleichbehandlungsgebot abzuweichen.[185] Es ist dort bestimmt, dass im Geltungsbereich eines geschlossenen Tarifvertrags nicht tarifgebundene Arbeitgeber und Arbeitnehmer die Anwendung der tariflichen Regelungen *arbeitsvertraglich vereinbaren* können.[186] Mit der Möglichkeit arbeitsvertraglicher Inbezugnahme erlangt einerseits die Tariföffnung erst ihre praktische Bedeutung, andererseits wird das (gemeinschaftsrechtlich vorgegebene) gesetzliche Gleichbehandlungsgebot des § 9 Nr. 2 Hs. 1 AÜG durch die diesen Weg nutzende Gestaltungspraxis im Ergebnis zu dispositivem Recht. Anders ausgedrückt: Das Zusammentreffen von gesetzlichem Schutz und Tariföffnung zur Abweichung nach unten bleibt bei einem minimalen Organisationsgrad als Medikament erwartungsgemäß ohne Wirkung. In Verbindung gebracht mit der Möglichkeit arbeitsvertraglicher Bezugnahme entstehen jedoch bemerkenswerte Reaktionen, welche die mit dem hauptsächlichen Therapiemittel (dem von Europäischer Gemeinschaft und deutschem Gesetzgeber verordneten Gleichbehandlungsgrundsatz) angestrebte Therapiewirkung konterkariert. Als zielführend wird man das nicht bezeichnen wollen. Der an sich vor dem Hintergrund der Verfassung als sinnvoll anzusehende Gestaltungsweg über das *tarifdispositive Gesetzesrecht*, der in vielen Bereichen (etwa in § 622 IV BGB, im BUrlG, in § 4 IV EFZG, in § 21 a JArbSchG, in den §§ 7, 12 ArbZG) moderne arbeitsrechtliche Gesetzgebung verkörpert,[187] wird *im Zusammenhang mit der gesetzlichen Verankerung von Mindestarbeitsbedingungen* (an sich leicht erkennbar) fragwürdig, weil er den Weg öffnet, auf dem das gesetzliche Ziel unterlaufen werden kann. Anzumerken ist, dass der Gesetzgeber der 16. Legislaturperiode Forderungen, auch seine Konzeption branchenbezogener

---

[184] Vgl. *Franzen*, BB 2009, 1472 (1476).

[185] Eingefügt auf Veranlassung des Vermittlungsausschusses, BT-Drs. 15/201, S. 2 zu Art. 6 Nr. 4 a.

[186] Allgemein nimmt man an, dass die Bestimmung nach Sinn und Zweck alle Fälle erfassen will, in denen der einschlägige Tarifvertrag mangels Tarifbindung nicht gem. §§ 4 I, 3 I TVG normativ gilt, vgl. stellv. Thüsing/*Mengel*, AÜG, 2. Aufl., 2008, § 9 Rn. 41; *Boemke/Lembke*, (Fn. 182), § 9 Rn. 139 ff.

[187] *Thüsing*, ZfA 2008, 590 (594 f.).

Mindestlöhne in der dargelegten Form tarifdispositiv auszugestalten,[188] nicht gefolgt ist. Das war richtig, denn es wäre derselbe Weg vorgezeichnet worden, wie er soeben beleuchtet worden ist.

cc) Der erhobene Befund wird nicht dadurch aufgehellt, dass die Rechtsordnung – allerdings umstrittene und zum Teil unklare – Grenzen kennt, welche das Ausmaß der in dem dargelegten Sinn entstandenen *praktischen Dispositivität des gesetzlichen Gleichbehandlungsgebots* rechtlich verringern. Es ist vielmehr zu beklagen, wenn (nicht offen zu Tage liegende) Grenzen der Rechtsordnung aus einem vom Gesetzgeber selbst geschaffenen Anlass im Instanzenweg mühsam ausgelotet werden müssen und so zeitweise Rechtsunsicherheit entsteht. Es sind die gradlinigen Gesetzesregelungen, die die Akzeptanz der Rechtsordnung in den Demokratien erhalten. Die vorliegende gesetzliche Gestaltung dagegen vermag das Vertrauen in den Rechtsstaat zu gefährden. Der Rechtsunsicherheit entsprechen im Übrigen nicht nur Nachteile der Arbeitnehmer, denen trotz des Bekenntnisses des Gesetzes zum Gleichbehandlungsgebot am Ende auf großer Fläche ein erheblich geringeres Entgelt als der Stammbelegschaft gezahlt wird (was zum Teil aus Steuermitteln in Gestalt von aufstockenden Transferleistungen zu Lasten der Gesellschaft aufzufangen ist) und denen andere Schutzbestimmungen vorenthalten bleiben. Die Arbeitgeber gehen ein Risiko ein, weil Leiharbeitnehmern bei Unwirksamkeit der in Bezug genommenen Tarifregelung gem. § 10 IV AÜG der Vergleichslohn zusteht und weil im Fall aufstockender Grundsicherungsleistungen durch die Arbeitsagenturen die Inanspruchnahme aufgrund des Forderungsübergangs kraft Gesetzes gem. § 115 SGB X[189] droht. Dem Entleiher-Arbeitgeber droht die Haftung für fällige Sozialversicherungsbeiträge gem. § 28 e II SGB IV. Diese Risiken werden vor allem im Zusammenhang mit der Tariffähigkeit von Gewerkschaften im Bereich der Leiharbeit inzwischen erkannt. Im Einzelnen:

(1) Auszulotende Grenzen ergeben sich vor dem Hintergrund der tatsächlichen Entwicklungen zunächst im Hinblick auf die *Tariffähigkeit* solcher Gewerkschaften bzw. Spitzenorganisationen (§ 2 II, III TVG) wie namentlich der CGZP, deren Anliegen schlechtere Tarifabschlüsse für Leiharbeitnehmer im Verhältnis zu den im Betrieb des Entleihers geltenden Tarifvereinbarungen sind.[190] Wenn es geschichtlich und funktionell Absicht der Rechtsordnung ist, durch den Konsens auf kollektiver Ebene einen *angemessenen* (und damit zugleich dem Gemeinwohlinteresse dienenden) Ausgleich zwischen Arbeitgeber- und Arbeitnehmerinteressen herbeizuführen (weil die-

---

[188] Vgl. *Thüsing*, ZfA 2008, 590 (594 ff.).

[189] Zu Fallgestaltungen der „Gleichwohlgewährung" siehe z. B. KSW/*Waltermann*, Kommentar zum Sozialrecht, 2009, § 115 SGB X Rn. 3.

[190] Siehe *ArbG Berlin* 1. 4. 2009 – 35 BV 17008/08 – NZA 2009, 740 ff. Kritisch dazu *Franzen*, BB 2009, 1472 ff. Bestätigend und Tariffähigkeit verneinend in zweiter Instanz auch *LAG Berlin* 7. 12. 2009 – 23 TaBV 1016/09.

ser sich auf der Ebene der privatautonomen Vereinbarung nicht erreichen lässt), dann verbindet sich damit von den Anfängen der Tarifautonomie bis heute die zutreffende Vorstellung, dass gewerkschaftliche Vertretung zu einem höheren Lohnniveau führt.[191] Der Grundgedanke geht von jeher dahin, dass das Gesetz das Notwendige und der Tarifvertrag das Angemessene verbürgt.[192] Wenn dementgegen Abweichungen durch Tarifvertrag, und zwar nicht in einem Nebenpunkt (wie etwa bei § 622 IV BGB), sondern in einem eine Branche betreffenden *Hauptpunkt* (wie dem Entgelt der Leiharbeit, für das Europäische Union und deutscher Gesetzgeber eine Regulierung im Sinn der Gleichbehandlung mit Stammbelegschaften für nötig halten) praktisch nur in die Richtung nach unten in Betracht kommen, wenn ein geringer Organisationsgrad hinzukommt, und wenn am Ende erst die Eröffnung arbeitsvertraglicher Bezugnahme Tarifgestaltungen zu praktischer Bedeutung verhilft, kommt die Frage nach der Tariffähigkeit von in der Folge gebildeten Gewerkschaften, deren Ziel schlechtere Tarifabschlüsse sind, nicht überraschend. Die Frage der Tariffähigkeit einiger der auf den Plan getretenen Gewerkschaften, die gegenwärtig die Arbeitsgerichte beschäftigt, ist Ausdruck einer Fehlentwicklung und gleichwohl *lediglich ein tarifrechtliches Folgeproblem* der für das Arbeitsrecht ungewöhnlichen und aus den dargelegten Gründen zu kritisierenden Gesetzeskonzeption im Recht der Leiharbeit. Es sollten nicht angesichts einer fragwürdigen Gesetzeskonzeption die Gerichte von Fall zu Fall auftretende Zweifel an der Tariffähigkeit therapieren, sondern der Gesetzgeber sollte die problematische Wurzel behandeln.

(2) Soweit Tariffähigkeit in Anwendung der mit Beschluss des BAG vom 28. 3. 2006[193] neu geordneten Rechtsprechung, die zu Recht an die Tariffähigkeit (unbeschadet der Frage von Gefälligkeitstarifverträgen) nicht allzu strenge Maßstäbe anlegt, gegeben ist, liegt eine weitere Begrenzung der Gestaltungsfreiheit der Tarifparteien darin, dass schon nach nationalem Recht die vom Gesetz gegenüber dem Grundsatz der Gleichbehandlung eröffneten Ausnahmen nicht im freien Belieben der Tarifautonomie stehen, sondern den *gesetzlich aufgestellten rechtsverbindlichen Grundsatz* zu wahren haben. Der vor dem Hintergrund gemeinschaftsrechtlicher Vorgaben in verfassungsgemäßer Weise[194] normierte Gleichbehandlungsgrundsatz *eröffnet den Tarifvertragsparteien die tarifvertragliche Abweichung nicht schrankenlos.*

Die tarifvertragliche Gestaltung von Ausnahmen im Bereich tarifdispositiven Gesetzesrechts[195] muss sich *erstens* im Rahmen der Zuständigkeiten und Befugnisse des Gesetzgebers halten. Der Gesetzgeber kann Zuständigkeiten und Befugnisse, die er selbst nicht hat, bei den Tarifvertragsparteien nicht begründen.[196] Mit dem Inkrafttreten der RL 2008/104/EG ist deshalb die Gestaltung von Dispositionsfreiheiten der Tarifparteien an den verbindlichen Zielen dieser RL zu orientieren, was eine unbegrenzte Tarifdispositivität ausschließt.[197] Die RL lässt Ausnahmen durch tarifvertragliche Gestaltung gem. Art. 5 III RL nur zu, wenn Tarifverträge „unter Achtung des Gesamtschutzes von Leiharbeitnehmern" abweichende Regelungen treffen. *Zweitens*

---

[191] Siehe nur Wiedemann/*Thüsing*, TVG, 7. Aufl., 2007, § 1 Rn. 254.

[192] Treffend *Wiedemann*, Das Arbeitsverhältnis als Austausch- und Gemeinschaftsverhältnis, 1966, S. 21f.

[193] *BAG* 28. 3. 2006 – 1 ABR 58/04 – NZA 2006, 1112ff. Instruktiv dazu *Wank/Schmidt*, RdA 2008, 257ff.

[194] Das BVerfG hat Verfassungsbeschwerden von Verleihunternehmen und Arbeitgeberverbänden der Zeitarbeitsbranche nicht zur Entscheidung angenommen, *BVerfG* 29. 12. 2004 – 1 BvR 2582/03 u. a. – NZA 2005, 153ff.

[195] Instruktiv dazu Wiedemann/*Wiedemann* (Fn. 191), Einl. Rn. 378ff.

[196] Vgl. nur Wiedemann/*Wiedemann* (Fn. 191), Einl. Rn. 388.

[197] Zutreffend *Fuchs*, NZA 2009, 57 (62). Grundsätzlich Wiedemann/*Wiedemann* (Fn. 191), Einl. Rn. 388.

ist auch unter Berücksichtigung der Motive der gesetzlichen Regelung des AÜG[198] ohnehin von einer *begrenzten Tarifdispositivität* auszugehen.[199] Das Gesetz eröffnet ausweislich seiner Begründung die Dispositivität, um den Tarifvertragsparteien die flexible Gestaltung der Arbeitsbedingungen zu eröffnen und beispielsweise Pauschalierungen beim Arbeitsentgelt zuzulassen und die Leistungen für Zeiten des Verleihs und Nichtverleihs in einem Gesamtkonzept zu regeln.[200] Weil der dem AÜG zugrunde liegende Schutzgedanke im Grundsatz *verpflichtend* ist, wird man bereits allgemein davon auszugehen haben, dass den Tarifparteien in Fällen der gesetzlich gewährten Tarifdispositivität in Einklang mit dem Schutzgedanken Gestaltungsfreiheit lediglich in der Einzelausformung verbleibt.[201] Folge wäre, dass bereits *de lege lata* tarifvertragliche Abweichungen nach unten, die unter dem Strich den Gesamtschutz von Leiharbeitnehmern nicht wahren, unwirksam sind und es dann bei der gesetzlichen Anordnung des *Equal Pay* verbleibt (vgl. § 10 IV AÜG).[202]

e) Bilanz und Folgerungen

aa) Die gegenwärtige Ausgestaltung des Rechts der Arbeitnehmerüberlassung hat *Vorteile*: Sie bietet den Unternehmen *flexible Möglichkeiten des Personaleinsatzes*, und die mit dem geltenden rechtlichen Rahmen verbundenen Gestaltungsmöglichkeiten führen zu einer für die Gesellschaft allgemein vorteilhaften *Anpassungsfähigkeit des Arbeitsmarktes*.[203] Bei dieser Bewertung ist berücksichtigt, dass mit (vor den Entlassungen in der Folge der Finanzmarktkrise) rund 800000 Leiharbeitsverhältnissen Mitte des Jahres 2008

---

[198] Vgl. insoweit die Gesetzesbegründung, BT-Drs. 15/25, S. 24: „Im Arbeitnehmerüberlassungsgesetz (AÜG) wird der Grundsatz festgeschrieben, dass Leiharbeitnehmer während der Dauer der Überlassung wie vergleichbare Arbeitnehmer des entleihenden Unternehmens hinsichtlich der wesentlichen Arbeits- und Beschäftigungsbedingungen gleichbehandelt werden müssen […] Abweichungen hiervon sind nur durch tarifvertragliche Regelungen zulässig und für die ersten sechs Wochen der Überlassung durch einzelvertragliche Vereinbarung, wenn ein angemessenes Schutzniveau für die Leiharbeitnehmer gewährleistet ist.“

[199] Zutreffend in diesem Sinn ErfK/*Franzen* (Fn. 70), § 1 TVG Rn. 14; *Fuchs*, NZA 2009, 57 (62f.); Thüsing/*Pelzner* (Fn. 130), § 3 Rn. 82; *Schüren*, in: Festschrift 50 Jahre BAG, 2004, S. 877 (886f.); A.A. *Boemke/Lembke* (Fn. 182), § 9 Rn. 110ff.; *Böhm*, DB 2003, 2598 (2598); *Hanau*, ZIP 2003, 1573 (1577); *Raab*, ZfA 2003, 389 (409f.); *Thüsing* (Fn. 35), Rn. 837.

[200] BT-Drs. 15/25, S. 38.

[201] Vgl. allgemein Wiedemann/*Wiedemann* (Fn. 191), Einl. Rn. 378, 388; *Löwisch/Rieble*, TVG, 2. Aufl., 2004, § 1 Rn. 338ff.

[202] Zu den Konsequenzen für Arbeitgeber bei unwirksamer tarifvertraglicher Regelung *Park/Riederer Freifrau v. Paar/Schüren*, NJW 2008, 3670ff.; *Schüren/Wilde*, NZS 2009, 303ff. Das BAG geht zutreffend auch von der Nichtigkeit eines von einer nicht tariffähigen Vereinigung abgeschlossenen Tarifvertrags aus, vgl. *BAG* 15. 11. 2006 – 10 AZR 665/05 – NZA 2007, 448ff. Anders *Boemke/Lembke* (Fn. 182), § 9 Rn. 132; *Buchner*, DB 2004, 1042ff. Dem BAG zust. zB *Feudner*, Anm. RdA 2007, 244ff.; *Jacobs*, Anm. AP TVG § 4 Tarifkonkurrenz Nr. 34.

[203] Ausführlich dazu auch Zehnter Bericht der Bundesregierung über Erfahrungen bei der Anwendung des AÜG vom 30. 9. 2005, BT-Drs. 15/6008, insbesondere S. 8ff.

(2,6% Anteil an der sozialversicherungspflichtigen Beschäftigung)[204] bisher ein überschaubarer Anteil der Arbeitsverhältnisse auf Leiharbeit ausgerichtet ist. Im Hinblick auf Leiharbeit als atypische Beschäftigungsform an sich führt die bisherige tatsächliche Entwicklung noch *nicht zu einer Abkehr* vom Normalarbeitsverhältnis, sondern sie bildet (erhebliche Kritikpunkte hier hinweggedacht) eine begründete *Ausnahme vom Normalarbeitsverhältnis.* Es spricht nichts dagegen, wenn die Arbeitsrechtsordnung in einem Randbereich wie diesem für eine flexible Gestaltung geöffnet bleibt. Dem steht auch nicht entgegen, dass Leiharbeitsverhältnisse, wie dargelegt, üblicherweise von geringer Dauer sind und dass die beschäftigungspolitischen Vorteile, die mit der Leiharbeit gedanklich verbunden werden, schwer zu verifizieren sein mögen.[205] Dass Leiharbeit ein Sprungbrett in das Normalarbeitsverhältnis sein und eine Übergangsfunktion bei dem Bemühen um Wiedereingliederung in den Arbeitsmarkt haben könnte, ist in Ansätzen belegt.[206] Den Rechtsrahmen der Leiharbeit wird man auf den Prüfstand stellen, wenn der Anteil der Leiharbeitsverhältnisse an den Arbeitsbeziehungen sich signifikant erhöhen sollte, wenn öffentliche und private Arbeitgeber eine gegebene Tendenz zur Substitution von Stammarbeitskräften durch Leiharbeitnehmer vertiefen sollten[207] oder wenn Missbrauch – wie er im Elften Bericht der Bundesregierung[208] in beachtlichem Ausmaß dokumentiert ist – nicht zu begegnen sein wird.[209]

bb) Diskussionsbedarf besteht aus den dargelegten Gründen aktuell im Hinblick auf die Verwirklichung des Gleichbehandlungsgrundsatzes beim Entgelt im Niedriglohnsektor. Wie dargelegt, wird in der Praxis bei einem Organisationsgrad von unter 5% durch arbeitsvertragliche Bezugnahme auf Tarifverträge im praktischen Ergebnis das im Grundsatz als zwingendes Recht gestaltete Gleichbehandlungsgebot unterlaufen. Das gemeinschaftsrechtlich vorgegebene und gesetzlich der Flexibilisierung der Leiharbeit durch Aufhebung der früheren Restriktionen gegenübergestellte Schutzgebot, welches aus guten Gründen Anforderungen an die Qualität des Arbeitsplatzes stellt, bleibt *de facto* in weiten Bereichen ohne die inten-

---

[204] Bundesagentur für Arbeit (Hrsg.) (Fn. 143), S. 9, 13.

[205] Zurückhaltend z.B. *Promberger* (Fn. 135), S. 119ff.; Ministerium für Arbeit, Gesundheit und Soziales des Landes Nordrhein-Westfalen (Hrsg.) (Fn. 152), S. 85ff.

[206] Vgl. Elfter Bericht der Bundesregierung (Fn. 147), S. 27f.; Bundesagentur für Arbeit (Hrsg.), Zeitarbeit, Entwicklung Dez. 1997 bis Dez. 2007, 2008, S. 10ff.; DGB Bundesvorstand, Arbeitsmarkt aktuell, 9/2008, 1 (5).

[207] Vgl. BT-Drs. 16/1926, S. 1ff.

[208] (Fn. 147), S. 15ff.

[209] Kritisch *Schüren*, NZA 2008, 453ff; *ders.*, AuR 2008, 239ff.; *J. Ulber*, NZA 2009, 232ff. Zu konzerninterner Arbeitnehmerüberlassung kritisch *Brors/Schüren*, BB 2005, 494f; *Schüren*, RdA 2007, 231 (233); *Däubler*, AiB 2008, 524ff.

dierte Wirkung. An dieser Stelle ist die Leiharbeit in Deutschland anfällig für Missbrauch. In anderen Mitgliedstaaten der EU scheint, wenn auch der Vergleich der Rechtspraxis vor dem Hintergrund von zum Teil abweichend differenzierenden Rechtsgestaltungen mit Unsicherheiten behaftet ist, das Gleichbehandlungsgebot überwiegend besser verwirklicht zu sein als in Deutschland; bei meist befristeter Beschäftigung orientiert sich das Entgelt der Leiharbeitnehmer vielfach an der Vergütung, die ein ständig beim Entleiher beschäftigter Arbeitnehmer mit vergleichbarer Arbeitsaufgabe erhält. Soweit nicht ohnehin der Niedriglohnsektor geringer ausgeprägt ist, spielen unter dem Strich auch die in 20 von 27 Mitgliedstaaten eingeführten gesetzlichen Mindestlöhne eine Rolle.[210]

(1) Das Problem, welches auch die Gefahr der Substitution von Normalarbeitsverhältnissen aus Kostengründen birgt, ist nicht dadurch gelöst, dass im Einzelfall die fehlende *Tariffähigkeit* einer Gewerkschaft oder die eventuelle Überschreitung der gem. § 9 Nr. 2 Hs. 3, 4 AÜG eröffneten Ausnahmen vom Gleichbehandlungsgebot zur Unwirksamkeit der tarifvertraglichen Gestaltung und der arbeitsvertraglichen Einbeziehung führen, so dass den Leiharbeitnehmern am Ende gem. § 10 IV AÜG der Vergleichslohn zustünde, der Leiharbeitgeber von dem Differenzbetrag Steuern und Sozialversicherungsbeiträge abzuführen hätte und Aufstockungsbeträge aus steuerfinanzierten Transferleistungen (Grundsicherung gem. SGB II, Kinderzuschuss gem. § 6a BKGG, evtl. Wohngeld) von den Sozialleistungsträgern Kraft übergegangenen Rechts (§ 115 SGB X) zurückgefordert werden könnten; dabei besteht die Beitragspflicht zur Sozialversicherung unabhängig davon, ob der Leiharbeitnehmer seinen Anspruch verwirklicht. Gem. § 28e II SGB IV haftet für Sozialversicherungsbeiträge auch der Entleiher.[211] Nicht nur die Aushöhlung des Gleichbehandlungsgebots, auch die Risiken für Leiharbeitgeber und für Entleiher, welche sich angesichts der unklaren Rechtslage aus unwirksamen tariflichen und arbeitsvertraglichen Gestaltungen ergeben können, legen die Empfehlung nahe, im Zug der Anpassung des AÜG an Vorgaben der RL 2008/104/EG die Regelung des § 9 Nr. 2 Hs. 3, 4 AÜG zu überdenken.

(2) Das AÜG folgt hier allerdings einem *an sich üblichen Muster*: An zahlreichen Stellen eröffnet im Arbeitsrecht das Gesetz im Zu-

---

[210] Vgl. European Foundation for the Improvement of Living and Working Conditions (Hrsg.), *Arrowsmith*, Temporary agency work and collective bargaining in the EU, 2009, S. 41f.; Richtlinienvorschlag der EU-Kommission über die Arbeitsbedingungen von Leiharbeitnehmern KOM (2002), 149 endgültig, S. 5. Siehe auch *Vanselow/Weinkopf*, Zeitarbeit in anderen Ländern – Lehren für Deutschland?, 2009, www.boecklerimpuls.de.

[211] Vgl. dazu KSW/*Rossbach* (Fn. 189), § 28e SGB IV Rn. 7ff.

sammenhang mit der Tarifdisposivität auch den Arbeitsvertragsparteien die vertragliche Bezugnahme im Geltungsbereich des Tarifvertrags. Im Prinzip ist dies nützlich und rechtlich unbedenklich. Deshalb findet man im rechtswissenschaftlichen Schrifttum zu dem Phänomen, soweit ersichtlich, auch keine besonderen Stellungnahmen. Im vorliegenden Zusammenhang, in dem es um die Gewährleistung von Mindestarbeitsbedingungen geht, führt die dem üblichen Muster gesetzlich eröffneter Tarifdispositivität folgende Möglichkeit der arbeitsvertraglichen Bezugnahme jedoch zu einer *praktischen Aushöhlung des voranstehenden gesetzlichen Grundsatzes*. Gemessen am Zweck des Gleichbehandlungsgebots dürfte die durch § 9 Nr. 2 Hs. 4 AÜG ermöglichte derzeitige Praxis die von Art. 5 III RL 2008/104/EG geforderte Wahrung des Gesamtschutzes der Leiharbeitnehmer nicht gewährleisten.[212]

(3) Bei der Bewertung hat auch Bedeutung, dass im vorliegenden Zusammenhang entgegen einer im arbeitsrechtlichen Schrifttum verbreiteten Auffassung[213] *nicht von einer Richtigkeitsgewähr* des Tarifvertrags ausgegangen werden kann.

Im arbeitsrechtlichen Schrifttum wird *allgemein* vielfach eine Richtigkeitsgewähr des Tarifvertrags postuliert.[214] Auch das BAG hat häufiger auf diesen Gesichtspunkt abgestellt.[215] Das BVerfG verwendet, soweit ersichtlich, den Begriff der Richtigkeitsgewähr jedenfalls in arbeitsrechtlichem Zusammenhang nicht. Im rechtswissenschaftlichen Schrifttum sind die mit dem Begriff der Richtigkeitsgewähr allgemein verbundenen Annahmen und Folgerungen bei näherem Hinsehen sehr verschieden. Im hier interessierenden Zusammenhang spielt der Gedanke der Richtigkeitsgewähr in zahlreichen Stellungnahmen eine entscheidende Rolle.

Richtig erscheint, Richtigkeitsgewähr jedenfalls nicht als Rechtsbegriff zu verstehen, aus dem Rechtsfolgen abgeleitet werden könnten. In diesem einschränkenden Sinn wird der Begriff überwiegend auch verstanden. Bei dem Postulat der Richtigkeitsgewähr handelt es sich, auch im Zusammenhang mit dem schuldrechtlichen Vertrag allgemein,[216] um einen der Vertragslösung *zugrunde liegenden Gedanken*, der

[212] Vgl. *Fuchs*, NZA 2009, 57 (63); *Hamann*, EuZA 2009, 287 (309).

[213] Vgl. stellv. nur *Boemke/Lembke* (Fn. 182), § 9 Rn. 111; *Hamann*, BB 2005, 2185 (2188); *Thüsing* (Fn. 35), Rn. 837; *dens.*, ZfA 2008, 590 (594 ff.).

[214] Siehe stellv. die Darstellung des Meinungsstands bei Wiedemann/*Thüsing* (Fn. 191), § 1 Rn. 246.

[215] Vgl. aus neuerer Zeit *BAG* 24. 3. 2004 – 5 AZR 303/03 – BAGE 110, 79 (86); *BAG* 28. 3. 2006 – 1 ABR 58/04 – BAGE 117, 308 (320 f.); *BAG* 24. 9. 2008 – 6 AZR 76/07 – NZA 2009, 154 (160).

[216] Vgl. grundlegend *Schmidt-Rimpler*, AcP 147 (1941), 130 ff.; *dens.*, in: Festschrift für L. Raiser, 1970, S. 1 ff.; im Zusammenhang mit dem Tarifvertrag näher mit Nachw. *Gamillscheg*, Kollektives Arbeitsrecht I, 1997, S. 284 ff.; Wiedemann/*Thüsing* (Fn. 191) § 1 Rn. 253 ff.; *Wiedemann*, in: Festschrift für Dieterich, 1999, S. 661

aber durch die Rechtsordnung auszuformen ist und der einer *Rechtskontrolle* des Vereinbarten, auch beim Tarifvertrag, nicht entgegensteht.[217] Ohne Zweifel sind Tarifverträge auf ihre Vereinbarkeit mit Gesetz und Verfassung überprüfbar. Es ist ja auch keineswegs so, dass aus der Wahrnehmung gegensätzlicher Interessen ohne weiteres im Interessenausgleich das sachlich Richtige entsteht; wie die Parteien des Vertrags allgemein können auch die Tarifvertragsparteien ihre Interessenposition in die Verhandlungen *einbringen*. Dass sie das Richtige erreichen, folgt daraus nicht.[218] Im Zweifel entscheidet über die Richtigkeit unter Wahrung der gewährleisteten Freiheiten die Rechtsordnung. So erscheint verständlich, wenn das BVerfG von einer Richtigkeitsgewähr bisher nicht gesprochen hat. Es geht dem Gedanken der Richtigkeitsgewähr letztlich darum, den Bereichen der Privatautonomie und der Tarifautonomie die staatlich gewährleistete *Gestaltungsfreiheit im Autonomiebereich* zu attestieren und zum Ausdruck zu bringen, dass die notwendigen rechtlichen Ausgestaltungen und Begrenzungen des autonomen Handelns mit Respekt vor der gewährleisteten Autonomie (der Privatautonomie und der Tarifautonomie) und unter Wahrung der verfassungsrechtlichen Freiheit vorzunehmen sind. Dies gilt gerade auch im Hinblick auf eine richterliche *Billigkeitskontrolle* und betrifft in besonderem Maß die tarifvertragliche *Gestaltung des Entgelts*. Der Gedanke der Richtigkeitsgewähr deckt sich im Wesentlichen mit der Respektierung staatsunabhängiger, selbstbestimmter Gestaltungsfreiheit im Autonomiebereich und verdeutlicht die positive Einschätzung der autonomen Gestaltungsfreiheit unter dem Dach der staatlichen Rechtsordnung. Die Tarifautonomie vermag die Interessen von Arbeitgebern und Arbeitnehmern besser auszubalancieren als andere Verfahren. Dabei liegt dem Gedanken der Richtigkeitsgewähr mit Selbstverständlichkeit die Vorstellung zugrunde, dass sich die Tarifvertragsparteien am Verhandlungstisch in gleicher Stärke gegenübersitzen, so dass man auf die Angemessenheit des Vertrags vertrauen kann.[219] Selbstverständlich liegt dem Gedanken der Richtigkeitsgewähr ferner die Vorstellung zugrunde, dass die Ergebnisse des tarifvertraglichen Verhandelns auf die Legitimation durch die Tarifunterworfenen gestützt werden. Zutreffend wird vor diesem Hintergrund im Normalfall die Vermutung der interessengerechten autonomen Gestaltung auch im Verhältnis zu Außenseitern (bei Betriebsnormen gem. § 3 II TVG und bei einzelvertraglicher Bezugnahme) bejaht. Hinter allem steht allerdings von jeher der Gedanke, dass die tarifautonomen Gestaltungen auf einem intakten Kräfteverhältnis der tarifschließenden Koalitionen beruhen und auch deshalb eine Repräsentativität beanspruchen können.

Mit der Richtigkeitsgewähr der Tarifvertragsschlüsse im Bereich der Leiharbeit ist es, wenn man diese Überlegungen zugrunde legt, nicht weit her: Vor dem Hintergrund der dargelegten, ausgesprochen ungewöhnlichen Situation, in der sich eine der Verschlechterung von Arbeitsbedingungen gegenüber gesetzlichem Schutz verpflichtet fühlende Tarifautonomie wiederfindet, sind die Arbeitnehmer in den Tarifverträge schließenden Gewerkschaften, zumal in denen, die das gesetzliche Gleichbehandlungsgebot eher großzügig abbedingen, bei minimalem Organisationsgrad so gut wie nicht vertreten, und Zweifel an der Parität bzw. dem Durchsetzungswillen der Vertragspartei-

(672 ff.); kritisch zu Recht *Isensee*, Hdb. des Staatsrechts, Bd. VII, 3. Aufl., 2009, § 150 Rn. 14 ff.

217 Vgl. auch *BAG* 28. 3. 2006 – 1 ABR 58/04 – BAGE 117, 308 (320 f.), m. w. N.

218 Vgl. *Flume*, Allgemeiner Teil des Bürgerlichen Rechts, Bd. 2, 4. Aufl., 1992, S. 8; *Isensee* (Fn. 216), § 150 Rn. 14; *Wiedemann* (Fn. 216), S. 661 (674 ff.).

219 Vgl. *Gamillscheg* (Fn. 216), S. 284.

en sind in einigen Fällen mit den Händen zu greifen. Auf die Richtigkeitsvermutung zu verweisen, zumal im Hinblick auf die ja mit über 95% vollkommen überwiegende Geltung aufgrund (formular-)-arbeitsvertraglicher Inbezugnahme, muss im Hinblick auf die Frage der rechtspolitischen Gestaltung befremdlich erscheinen.[220]

f) Empfehlungen

aa) Es entspricht sowohl der Intention der RL 2008/104 EG[221] als auch dem deutschen Verfassungsrecht, die *Öffnung für die Tarifvertragsparteien beizubehalten.* Es geht um ein klassisches Wirkungsfeld der Tarifautonomie.[222] Die Verpflichtung der Tarifvertragsparteien, Abweichungen vom Gleichbehandlungsgrundsatz nur unter Beachtung des Gesamtschutzes von Leiharbeitnehmern (vgl. Art. 5 III RL 2008/104/EG) zu gestalten, sollte jedoch im AÜG normiert werden. Die derzeit in § 9 Nr. 2 Hs. 3 AÜG gewählte Formulierung „ein Tarifvertrag kann abweichende Regelungen zulassen" sollte zur Klarstellung durch die Formulierung „... abweichende Regelungen können durch Tarifvertrag vereinbart werden" ersetzt werden.[223]

bb) Das zu diskutierende Problem liegt bei § 9 Nr. 2 Hs. 4 AÜG, bei der eröffneten Befugnis zu Abweichungen vom gesetzlich prinzipiell zwingend ausgestalteten Gleichbehandlungsgebot durch *arbeitsvertragliche Bezugnahme* auf einen abweichenden Tarifvertrag. Der erhobene Befund führt zu der Frage, ob nicht die in § 9 Nr. 2 Hs. 4 AÜG vorgesehene Möglichkeit der arbeitsvertraglichen Bezugnahme *gestrichen* werden sollte. Auf der Grundlage des Dargelegten ist das zu empfehlen.

(1) Natürlich würden damit die praktischen Möglichkeiten, Abweichungen von dem gesetzlichen Gleichbehandlungsgebot auf den Weg zu bringen, beschnitten; bietet das Gesetz selbst den gebotenen Schutz und besteht die Aufgabe der Tarifautonomie darin, Abweichungen nach unten zu gestalten, wird ein geringer Organisationsgrad zementiert.

(2) Unter Zugrundelegung der Maßstäbe, die das BVerfG in seinem Beschluss vom 29. 12. 2004 angelegt hat,[224] wäre, selbst wenn

---

[220] Die Reichweite richterlicher Kontrolle kann hier dahingestellt sein, wobei dem BAG (24. 3. 2004 – 5 AZR 303/03 – BB 2004, 1909 [1911]) keineswegs darin zugestimmt werden kann, dass Tarifverträge in ihrem normativen Teil nicht Rechtsgeschäft im Sinn von § 138 BGB seien, denn sie kommen *unzweifelhaft* als Rechtsgeschäft zustande (und wirken normativ).

[221] Vgl. Erwägungsgründe 16, 17 und 19 sowie Art. 5 III RL 2008/104/EG.

[222] Vgl. nur *BVerfG* 29. 12. 2004 – 1 BvR 2582/03 u. a. – NZA 2005, 153 (154).

[223] Vgl. in diesem Sinn *de lege lata*, mit Hinweis auf die Materialien (BT-Drs. 15/25, S. 38), z. B. *Thüsing* (Fn. 35), Rn. 834.

[224] *BVerfG* 29. 12. 2004 – 1 BvR 2582/03 u. a. – NZA 2005, 153 ff.

man gedanklich von einer Beeinträchtigung der Tarifautonomie ausgeht,[225] die Streichung der Inbezugnahmemöglichkeit in verfassungsrechtlicher Hinsicht nicht unverhältnismäßig. Wie die dargelegte tatsächliche Entwicklung belegt, sind die angestrebten Ziele, die Verbesserung der Stellung der Leiharbeitnehmer, die Erhaltung der gesellschaftlichen Akzeptanz dieser Beschäftigungsform und die Steigerung der Qualität der Leiharbeit verfassungsrechtlich legitim. Die gesetzliche Regelung des Gleichbehandlungsgebots wäre im Rahmen des weiten Gestaltungsspielraums des Gesetzgebers auch ohne die Möglichkeit arbeitsvertraglicher Inbezugnahme von abweichenden Tarifverträgen verfassungsrechtlich gerechtfertigt. Den Tarifparteien bleibt die Regelungszuständigkeit erhalten; dass ihre Regelungen nicht mehr über die (formular-)arbeitsvertragliche Inbezugnahme die bisherige Breitenwirkung haben, liegt, wenn die ungewöhnliche Aufgabe der Tarifautonomie in diesem Bereich darin besteht, Abweichungen nach unten zu gestalten, in der Natur der Sache. Die Abschaffung der Inbezugnahmemöglichkeit dürfte das von Verfassungs wegen gewünschte Vertrauen in die Dignität der Tarifautonomie unterstützen. Ohnehin bleibt es dabei, dass das gesetzliche Gleichbehandlungsgebot *einseitig zwingend* gestaltet ist, so dass *Abweichungen zugunsten der Arbeitnehmer* durch Tarifvertrag und Arbeitsvertrag in jedem Fall möglich sind und bleiben.

Die Berufsausübungsfreiheit (Art. 12 I GG) der Verleihunternehmen würde, wenn man der Empfehlung folgen wollte, nicht unverhältnismäßig beeinträchtigt. Wie die tatsächliche Entwicklung gezeigt hat, lässt sich das vom Gesetzgeber im Rahmen seines Gestaltungsspielraums in nicht zu beanstandender Weise verfolgte Ziel der Gleichbehandlung, welches nunmehr mit der RL 2008/104/EG gemeinschaftsrechtlich unterfangen ist, auf der Grundlage der derzeitigen gesetzlichen Regelung nicht erreichen. Auf die Dauer wird aber entscheidend sein, dass das gesetzliche Schutzgebot praktisch verwirklicht wird. Anderenfalls könnten im Bereich der Leiharbeit niedrige Löhne dauerhafte Realität werden.

cc) Welche alternativen Möglichkeiten bestehen könnten, den Tarifparteien gesetzlich so hinreichende Vorgaben bezüglich der eröffneten tarifautonomen Gestaltung zu machen, dass angesichts des Gleichbehandlungs*grundsatzes*, wie ihn gemeinschaftsrechtlich Art. 5 I RL 2008/104 EG aufstellt, der Gesamtschutz der Leiharbeitnehmer beachtet bleibt, mit der weiteren Folge, dass eine Gleichstellung durch Inbezugnahme im Arbeitsvertrag unbedenklich wäre, ist auf der Grundlage des Dargelegten nicht zu untersuchen. Angesichts des minimalen Organisationsgrads ist im Bereich der Leiharbeit die *Orientierung am Grundsatz des Gesetzes und an den Vorgaben der Richtlinie* zur Sicherung klarer Verhältnisse vorzugswürdig und an-

---

[225] Zur Frage einer Pflicht zur Tarifdispositivität allgemein (mit Recht zurückhaltend) Wiedemann/*Wiedemann* (Fn. 191), Einl. Rn. 387.

gesichts der dargelegten kurzen Dauer der Leiharbeitsverhältnisse praxiskonform. Auch wenn man die Tariföffnung so vorstrukturieren würde, dass der gesetzliche Schutz richtlinienkonform gesichert bleibt, bliebe die Indienstnahme der Tarifautonomie für die Relativierung gesetzlichen Schutzes durch (Formular-)Arbeitsvertrag im Zusammenhang mit **Mindestarbeitsbedingungen** im Hinblick auf Funktion und Dignität der Tarifautonomie ein Danaergeschenk.

dd) Um die Flexibilität der Leiharbeit zu gewährleisten, könnte der Gesetzgeber von den durch Art. 5 II RL 2008/104 EG eingeräumten Gestaltungsmöglichkeiten bezüglich des Arbeitsentgelts Gebrauch machen. Danach kann *gesetzlich* eine Abweichung vom Gleichbehandlungsgrundsatz vorgesehen werden, wenn Leiharbeitnehmer einen *un*befristeten Arbeitsvertrag mit dem Verleiher geschlossen haben und auch in der Zeit zwischen den Überlassungen bezahlt werden. Dann besteht Bedarf für die Feinjustierung. Die praktische Bedeutung einer solchen Gestaltung wird auch davon abhängen, inwieweit in der Leiharbeit die im Koalitionsvertrag vorgesehene Aufhebung des Vorbeschäftigungsverbots bei der sachgrundlosen Befristung (§ 14 II 2 TzBfG) genutzt werden wird.[226]

3. Befristetes Arbeitsverhältnis

a) Hintergrund

aa) Die Zahl der befristeten Arbeitsverhältnisse ist in den letzten Jahren leicht gestiegen. Im Jahr 1998 waren 6,5%[227] aller abhängig Beschäftigten in ihrer Haupterwerbstätigkeit befristet beschäftigt. Im Jahr 2008 betrug dieser Anteil 8,9%.[228] In absoluten Zahlen ausgedrückt ist die Zahl der befristet Beschäftigten von 1,89 Mio. im Jahr 1998 auf 2,73 Mio. im Jahr 2008 angewachsen.[229] Dies bedeutet einen Zuwachs seit 1998 um 840000 Personen oder 44%. Im Vergleich zur Teilzeitbeschäftigung und zur geringfügigen Beschäftigung fällt der Anstieg der im Arbeitsverhältnis befristeten Beschäftigung verhaltener aus. Die größte Gruppe der befristet Beschäftigten bilden die Jungen. Im Jahr 2008 waren 30,5% der 15- bis 25-Jährigen befristet beschäftigt.[230] Im europäischen Vergleich liegt der Anteil

---

[226] Siehe sogleich.
[227] Vgl. Statistisches Bundesamt (Hrsg.) (Fn. 5), S. 8.
[228] Vgl. Statistisches Bundesamt (Hrsg.) (Fn. 5), S. 8.
[229] Vgl. Statistisches Bundesamt (Hrsg.) (Fn. 5), S. 8.
[230] Statistisches Bundesamt (Hrsg.) (Fn. 5), S. 11f. Die Prozentzahlen beziehen sich dort auf alle Erwerbstätigen.

befristeter Arbeitsverhältnisse in Deutschland etwas oberhalb des EU-Durchschnitts.[231]

bb) Befristete Arbeitsverhältnisse begegnen zunächst, wenn die Beschäftigung besonderen Zwecken dient (etwa der Aushilfe oder der Vertretung) oder wenn die Tätigkeit nach ihrem Zweck auf Zeit und nicht auf unbestimmte Dauer angelegt ist (wie etwa bei Stellen zur wissenschaftlichen Qualifizierung an den Hochschulen). Für Arbeitnehmer ist ein unbefristetes Arbeitsverhältnis in der Regel vorteilhafter als ein befristeter Arbeitsvertrag. Arbeitgeber dagegen nutzen Möglichkeiten, den Bindungen des Kündigungsschutzes durch befristete Arbeitsverhältnisse zu entgehen. Ihre Interessenvertretungen verfolgen gleichermaßen die Lockerung des Kündigungsschutzes und die erleichterte Zulassung von befristeten Arbeitsverhältnissen.

cc) Kündigungsschutz und Befristungsrecht stehen in einem *Wechselbezug:* Dereguliert man den Kündigungsschutz, wird Befristung in Abhängigkeit von der vorgenommenen Änderung für Arbeitgeber weniger interessant; hält man am Status quo des Kündigungsschutzes fest, bestimmt die Ausgestaltung des Befristungsrechts über Attraktivität und Bedeutung dieser Form atypischer Beschäftigung. Wegen dieses Wechselbezugs würde eine erschöpfende Behandlung der atypischen Beschäftigungsform der Befristung im hier vorgegebenen Themenzusammenhang über das Thema hinausgreifen: Der Sache nach lässt sich die Beschäftigungsform des befristeten Arbeitsverhältnisses aus dem größeren Zusammenhang der *Thematik des Bestandsschutzes* des Arbeitsverhältnisses nicht lösen. Ohnehin wäre aber eine eingehendere Untersuchung innerhalb des diesem Gutachten zwingend vorgegebenen quantitativen Rahmens unmöglich. Das Gutachten setzt die Schwerpunkte an anderer Stelle, verzichtet bei der Beschäftigungsform der Befristung auf die Aufarbeitung des Stoffs und beschränkt sich auf eine Problemdarstellung zu isolierbaren Einzelpunkten.[232]

b) Rechtsgrundlagen

Auf der Grundlage der RL 1999/70/EG und der mit dieser Richtlinie verfolgten Ziele führt das Befristungsrecht des TzBfG die in Deutschland über lange Jahre durch *Richterrecht* geprägte Rechtslage in einen zum Teil reformierten Rechtsrahmen ein. Dabei wurden vielfach Regelungen des Beschäftigungsförderungsgesetzes 1985 übernommen. Die Rechtfertigungsgründe des § 14 I 2 TzBfG finden

---

[231] Europäische Kommission (Hrsg.), Employment in Europe 2009, S. 23, Chart 22.

[232] Siehe aber auch unten S. 109 ff.

sich überwiegend bereits in den im Lauf der Jahre herausgearbeiteten richterrechtlichen Maßstäben des BAG. Eine auf gemeinschaftsrechtliche Vorgaben (Paragraph 4 RL 1999/70/EG) zurückgehende Erweiterung enthält das Verbot der Diskriminierung (§ 4 II TzBfG). In der Sache unterscheidet das Gesetz in § 14 TzBfG zwischen Befristungen, die eines *sachlichen Grundes* bedürfen (§ 14 I TzBfG) und Befristungen, die *ohne Sachgrund* möglich sind (§ 14 II, IIa und III TzBfG). Dabei hat die gem. § 14 III TzBfG eröffnete Möglichkeit der sachgrundlosen Befristung des Arbeitsverhältnisses über 52-Jähriger angesichts der Entscheidung des EuGH in der Sache *Mangold* für beträchtliches Aufsehen in der Rechtswissenschaft gesorgt.[233]

c) *Bewertung*

aa) Die nach dem Dienstvertragsrecht gem. § 620 I BGB ohne weiteres mögliche Befristung des Arbeitsverhältnisses steht seit der Normierung arbeitsrechtlichen Kündigungsschutzes in einem Spannungsverhältnis zum Kündigungsschutzgesetz. Es war lange Jahre der Rechtsprechung überlassen, das *Wertungsproblem* zu bewältigen, welches entsteht, wenn durch die prinzipiell zulässige Befristung ein Erfolg bewirkt wird, der im Fall der Kündigung eines unbefristeten Arbeitsverhältnisses, auf das der Kündigungsschutz Anwendung findet, nur unter ganz bestimmten rechtlichen Bedingungen erreicht werden könnte.[234]

bb) Mit der gesetzlichen Regelung des Befristungsrechts kam es dann, beginnend mit dem BeschFG 1985, insoweit zu einem *Paradigmenwechsel,* als der Gesetzgeber die früher richterrechtlich erfolgte Ankoppelung der Befristungskontrolle an das Kündigungsschutzgesetz aufgab und den Akzent verlagerte: War früher die Gefahr einer Umgehung des Kündigungsschutzrechts maßgebender Ausgangspunkt für die Bewertung der Zulässigkeit einer Befristung, das richterrechtliche Befristungsrecht sozusagen Komplementärfigur zum Kündigungsschutz, bedarf nun nach dem TzBfG jede Befristung einer Rechtfertigung nach Maßgabe des § 14 TzBfG, auch wenn der Anwendungsbereich des KSchG (in Kleinbetrieben und in den ersten sechs Beschäftigungsmonaten) nicht eröffnet ist. Ausgangspunkt der Prüfung ist damit nicht mehr eine mögliche Umgehung des Kündigungsschutzes, sondern die Befristungsvereinbarung als

---

[233] *EuGH* 22. 11. 2005 – C-144/04 – NZA 2005, 1345ff. Siehe dazu mit Nachw. stellv. *Preis*, Verh. d. 67. DJT 2008, S. B 34ff.

[234] Grundlegend *BAG* 12. 10. 1960 – GS 1/59 – BAGE 10, 65ff.

solche.[235] Zugleich wurde, beschäftigungspolitisch motiviert, der Abschluss befristeter Arbeitsverträge erleichtert.[236]

cc) Die Bundesregierung plant ausweislich des Koalitionsvertrags[237] eine weitere Erleichterung der sachgrundlosen Befristung: Nach geltendem Recht darf die Befristung ohne Sachgrund nur bei einer Neueinstellung vereinbart werden (§ 14 II 2 TzBfG). Das Vorbeschäftigungsverbot soll Kettenarbeitsverträge verhindern.[238] Im Koalitionsvertrag wird angeführt, die geltende Regelung erschwere Anschlussbeschäftigungsverhältnisse, wenn während Schule, Ausbildung oder Studium bei einem Arbeitgeber schon einmal befristet gearbeitet worden ist. Allerdings erlaubt bereits § 14 I 2 Nr. 2 TzBfG die Befristung *mit* Sachgrund im Anschluss an Ausbildung oder Studium, um den Übergang in eine Anschlussbeschäftigung zu erleichtern.[239] Die im Koalitionsvertrag vorgesehene Erleichterung der sachgrundlosen Befristung dürfte in der Weise umgesetzt werden, dass nach der vorgesehenen Wartezeit von einem Jahr ausnahmslos die sachgrundlose Befristung (bis zur Dauer von zwei Jahren) eröffnet wird. Dies könnte namentlich auch im Bereich der Leiharbeit[240] und in Konzernunternehmen genutzt werden.

dd) Möglich ist bereits die *sachgrundlose* Befristung für die Dauer von bis zu fünf Jahren gem. § 14 III TzBfG, wenn der Arbeitnehmer bei Beginn des befristeten Arbeitsverhältnisses das 52. Lebensjahr vollendet hat. Allerdings ist in Folge der *Mangold*-Entscheidung § 14 III TzBfG mit Wirkung vom 1. 5. 2007 neu gefasst worden. In der Sache zu Recht hatte der EuGH die Vereinbarkeit von § 14 III 4 TzBfG a.F. mit dem Anliegen des Verbots der Diskriminierung wegen des Alters verneint.[241] Im Anwendungsbereich von § 14 III

[235] *BAG* 6. 11. 2003 – 2 AZR 690/02 – AP Nr. 7 zu § 14 TzBfG; Backmeister/Trittin/Mayer/*Mayer*, Kommentar zum KSchG mit Nebengesetzen, 4. Aufl., 2009, § 14 TzBfG Rn. 2; Annuß/Thüsing/*Maschmann* (Fn. 33), § 14 Rn. 2.

[236] Instruktiv zu allem *Wiedemann*, in: Festschrift Otto, 2008, S. 609ff. Siehe ferner *Hanau*, Verh. d. 63. DJT 2000, 2000, S. C 18f., 23f., 62.

[237] Koalitionsvertrag (Fn. 74), S. 22.

[238] Vgl. Annuß/Thüsing/*Maschmann* (Fn. 33), § 14 Rn. 71.

[239] Zur Auslegung der Bestimmung BAG 10. 10. 2007 – 7 AZR 795/06 – NZA 2008, 295ff.

[240] Dazu *Raab*, ZfA 2003, 389 (427).

[241] *EuGH* 22. 11. 2005 – C-144/04 – NZA 2005, 1345ff. Dem EuGH mit Recht zustimmend insbesondere *Wiedemann*, Anm. AP Nr. 1 zu RL 2000/78/EG; *ders.* (Fn. 236), S. 609ff. Die weiterhin ungeklärte Frage, unter welchen Voraussetzungen das primäre Gemeinschaftsrecht ein „allgemeines Verbot der Diskriminierung wegen des Alters" enthält, kann hier dahingestellt bleiben. Zum hier vertretenen Standpunkt siehe *Waltermann*, NJW 2008, 2529 (2532f.); *dens.*, in: Festschrift für Birk (2008), S. 915 (916ff.). Mit Entscheidung vom 16. 10. 2008 – 7 AZR 253/07 – AP Nr. 55 zu § 14 TzBfG, hat das BAG den EuGH um eine Vorabentscheidung bezüglich der Vereinbarkeit von § 14 III 1 TzBfG mit Gemeinschaftsrecht ersucht.

TzBfG a.F. lief eine große, ausschließlich nach dem Lebensalter definierte Gruppe von Beschäftigten während eines beträchtlichen Teils des Berufslebens Gefahr, von festen Beschäftigungsverhältnissen ausgeschlossen zu werden.

Auch in Bezug auf die *Neufassung* des § 14 III TzBfG bleiben Bedenken bestehen. Sollte § 14 III TzBfG in der seit dem 1. 5. 2007 geltenden Fassung, in Einklang mit der überwiegenden Auffassung im arbeitsrechtlichen Schrifttum,[242] in europa- und verfassungsrechtlicher Hinsicht als rechtmäßig einzustufen sein, wird mit der Bestimmung im Hinblick auf ihr gesellschaftspolitisches Ziel eine gleichwohl weiterhin diskussionsbedürftige Lösung gewählt: Beschäftigungsförderung für bestimmte Personenkreise durch den Abbau von *allgemein gewährtem Schutz* bei dem betreffenden Personenkreis zu verfolgen, ist im Hinblick auf den Ansatzpunkt nochmals zu hinterfragen. Hinzu kommt, dass im Hinblick auf die Alterung der Gesellschaft mit der konkreten Bestimmung des § 14 III TzBfG ein problematisches Signal gesetzt wird. Insbesondere *Wiedemann*[243] weist treffend darauf hin, dass die ohne den Nachweis von Sachgründen mögliche Altersbefristung die Position aller älteren Arbeitnehmer, auch der Inhaber von Arbeitsplätzen, entwertet, was nach geltendem Recht schon die über 52-Jährigen betrifft. Zukunftsweisend erscheint das nicht. Es sollte zumindest geprüft werden, ob man nicht auf das Tatbestandsmerkmal des Alters in § 14 III TzBfG verzichtet.[244]

d) Empfehlung

aa) Trotz der notwendigen Beschränkung dieser Untersuchung und der damit gebotenen Zurückhaltung ist im Hinblick auf die Beschäftigungsform des befristeten Arbeitsverhältnisses als einer atypischen Beschäftigungsform auf der Grundlage der in diesem Gutachten insgesamt gewonnenen Erkenntnisse die Frage zu stellen, ob nicht von der Eröffnung befristeter Arbeitsverhältnisse *ohne* den

---

[242] Ascheid/Preis/Schmidt/*Backhaus*, Kündigungsrecht, 3. Aufl., 2007, § 14 TzBfG Rn. 422ff.; *Koch*, jurisPR-ArbR 20/2007 Anm. 6; *Lipke* in: Etzel u.a. (Hrsg.), Gemeinschaftskommentar zum Kündigungsschutzgesetz und zu sonstigen kündigungsschutzrechtlichen Vorschriften, 9. Aufl., 2009, § 14 TzBfG Rn. 486ff.; Meinel/Heyn/Herms/*Meinel*, TzBfG, 3. Aufl., 2009, § 14 Rn. 210ff.; ErfK/*Müller-Glöge* (Fn. 70) § 14 TzBfG Rn. 110a; *Rolfs*, NZA Beilage 2008, 8 (10); *Temming*, NZA 2007, 1193 (1200). Ablehnend oder zweifelnd *Kohte*, AuR 2007, 168 (169); *Wiedemann*, (Fn. 236), S. 609 (615ff.).

[243] *Wiedemann* (Fn. 236), S. 609 (617). Zu Recht kritisch auch *Preis*, Verh. d. 67. DJT 2008, S. B 92f.

[244] *Preis*, Verh. d. 67. DJT 2008, 2008, S. B 92; *Wiedemann* (Fn. 236), S. 609 (617).

Nachweis eines Sachgrundes mit großer Zurückhaltung Gebrauch gemacht werden sollte. Mit Recht stellt (und bejaht) *Wiedemann*[245] die Frage, *ob nicht Ausnahmen vom Bestandsschutz am Verhältnismäßigkeitsgrundsatz orientiert sein sollten.* Dem entspreche es, bei Ausnahmen vom Schutzprinzip den Nachweis konkreter Sachgründe zu verlangen, weil sie gegenüber der Befristungsmöglichkeit ohne den Nachweis eines Sachgrunds mit einer Rechtsschutzgewährung verbunden sind. Dies stellt in der Tat das mildere Mittel dar und trägt den Belangen des Arbeitgebers und seines Unternehmens nicht wesentlich geringer Rechnung.

bb) Rechtlich ist unter mehreren Gesichtspunkten ein *Vorrang des unbefristeten vor dem befristeten Arbeitsverhältnis* artikuliert: Gemäß Art. 24 der revidierten Europäischen Sozialcharta verpflichten sich die Vertragspartner, in ihren Rechtsordnungen den Bestandsschutz entweder zu gewährleisten, indem die Kündigung nicht ohne triftigen Grund wirksam erklärt werden kann oder indem eine nicht an Sachgründen ausgerichtete Kündigung mit einem angemessenen Ausgleich verbunden wird.[246] Die von der EG-Richtlinie 1999/70/EG durchgeführte Rahmenvereinbarung über befristete Arbeitsverhältnisse bestimmt in ihrer Präambel, dass unbefristete Arbeitsverhältnisse die übliche Form des Beschäftigungsverhältnisses sind. § 5 der Rahmenvereinbarung der Sozialpartner sieht vor, dass, um Missbrauch zu vermeiden, die Mitgliedstaaten eine oder mehrere der folgenden Maßnahmen ergreifen: sachliche Gründe, die die Verlängerung rechtfertigen; Regelung der insgesamt maximal zulässigen Dauer aufeinander folgender Arbeitsverhältnisse; Regelung der zulässigen Zahl der Verlängerung solcher Verträge. Aus Art. 12 I GG und dem Sozialstaatsprinzip leitet das BVerfG[247] ab, dass allen Arbeitnehmern ein Mindestmaß an Bestandsschutz zu gewähren ist. Die Ermöglichung befristeter Arbeitsverhältnisse ohne den Nachweis eines Sachgrundes „bringt das unbefristete Arbeitsverhältnis ins Hintertreffen und wird eine Flucht in die Befristung provozieren."[248]

cc) Vor diesem Hintergrund sollte sich der Gesetzgeber stets sorgsam vergewissern, mit welchem Ziel er von dem Grundprinzip, nach dem das Arbeitsverhältnis als wirtschaftliche Existenzgrundlage der Arbeitnehmer *einen Bestandsschutz verdient,* abweicht. Gründe waren seit dem BeschFG 1985 die Interessen Arbeitsloser an einem Ar-

---

245 *Wiedemann* (Fn. 236), S. 609 (615).

246 Vgl. auch Art. 4, 12 I ILO Convention Nr. 158, 1982.

247 *BVerfG* 24. 4. 1991 – 1 BvR 1341/90 – BVerfGE 84, 133 (146f.); *BVerfG* 27. 1. 1998 – 1 BvL 15/87 – BVerfGE 97, 169 (178f.).

248 So zu Recht *Preis*, Verh. d. 67. DJT 2008, S. B 92 (in Verbindung mit dem Gedanken an eine Kompensation bei der Wartezeit in § 1 I KSchG).

beitsplatz[249] und (unausgesprochen)[250] das Interesse der Arbeitgeber an der vorübergehenden Nutzung von Arbeitskräften ohne Bestandsschutz. Die politische Bewertung des Gewichts größerer Kündigungsfreiheit auf der einen und einer Kultur der Bindung von Beschäftigten an Unternehmen mit der Aussicht auf Bestandsschutz bei guter Leistung auf der anderen Seite bleibt im Rahmen der durch die Rechtsordnung gezogenen Grenzen Aufgabe des Gesetzgebers.

II. Das Phänomen ertragsschwacher Arbeitsverhältnisse

1. Ausgangspunkt

a) Atypisch Beschäftigte erhalten, wie dargelegt wurde, im Durchschnitt deutlich geringere Stundenlöhne als Beschäftigte im Normalarbeitsverhältnis. *Auch im Normalarbeitsverhältnis* hat sich indessen seit den neunziger Jahren das Phänomen ertragsschwacher Arbeitsverhältnisse stärker ausgebildet.[251]

Im Dienstleistungsbereich, der weiterhin wächst, haben sich typische Niedriglohnbereiche, etwa in Frisör- und Kosmetiksalons oder in Wäschereien, ferner zum Teil im Bereich sozialer Dienstleistungen (dort in der Alten- und Krankenpflege) und in der Personenbeförderung mit Taxis und Mietwagen, herausgebildet. Hohe Niedriglohnanteile begegnen auch in den Bereichen Gebäudereinigung, Herstellung von Backwaren und im Abfüll- und Verpackungsgewerbe. Im Gastgewerbe Beschäftigte erhalten am häufigsten Brutto-Stundenverdienste unterhalb der Niedriglohngrenze, auch soweit Beschäftigte dort im Normalarbeitsverhältnis tätig sind; es bezogen im Gastgewerbe im Jahr 2006 51,6% der im Normalarbeitsverhältnis Beschäftigten und 75,6% der atypisch Beschäftigten einen Niedriglohn.[252] Aus der Perspektive der Arbeitsverwaltung betrachtet, findet man die meisten vollzeitbeschäftigten SGB-II-Bezieher in Leiharbeitsfirmen und im Gastgewerbe, dann in den Bereichen Reinigungsdienste, Land- und Forstwirtschaft und Verkehrsunternehmen.[253]

Durchweg verschlechtert sich im Zusammenhang mit der Fortentwicklung der Globalisierung weltweit die Wettbewerbsposition von gering Qualifizierten. Die Ungleichheiten vergrößern sich.[254] Kurz zusammengefasst bildet sich im hier interessierenden Zusam-

---

[249] Vgl. BT-Drs. 10/2102, S. 15f.

[250] Vgl. *Wiedemann* (Fn. 236), S. 609 (611).

[251] Vgl. eingehend *Schäfer*, in: Bieback u.a. (Hrsg.), Tarifgestützte Mindestlöhne, 2007, S. 9–42. Zuletzt zusammenfassend *Kalina/Weinkopf* (Fn. 77), S. 1ff.; *Rhein*, NZA Beilage 2009, 91ff.

[252] Statistisches Bundesamt (Hrsg.) (Fn. 5), S. 15f.

[253] Vgl. *Bruckmeier/Graf/Rudolph*, IAB-Forum 1/2007, 20 (23f.).

[254] Vgl. auch die Feststellungen in *Caritas in veritate*, Enzyklika *Papst Benedikts XVI.*, 2009, Nr. 22, 24f.

menhang seit geraumer Zeit ein Niedriglohnsektor heraus, in dem Personen mit geringen Qualifikationen auch bei Vollzeittätigkeit die Existenzsicherung nicht erreichen. Auch in diesem Zusammenhang liegt eine erkannte gesellschaftspolitische Herausforderung (auf die nur hinzuweisen ist) darin, die Qualifikation der Kinder bildungsferner Gesellschaftsschichten zu verbessern, um von dieser Seite einem die Gesellschaft und die Unternehmen zunehmend bereffenden Qualitätsproblem längerfristig und nachhaltig zu begegnen. Hier liegt ein wesentlicher Grund für niedrige Löhne, dem in einer alternden Gesellschaft abgeholfen werden muss.

b) Ertragsschwäche auch im Normalarbeitsverhältnis kann im vorliegenden Zusammenhang nicht unberücksichtigt bleiben: Zum einen handelt es sich angesichts der Zunahme des Phänomens um eine Erscheinungsform der möglichen Abkehr vom bisher prägenden Normalarbeitsverhältnis insoweit, als die Ertragsschwäche die *existenzsichernde Funktion des Arbeitsverhältnisses* sowohl hinsichtlich des Arbeitsentgelts als auch hinsichtlich der mit dem Normalarbeitsverhältnis nach der Rechtsordnung typischerweise verbundenen sozialen Absicherung in Frage stellt. Zum anderen begründet die zeitweise Tätigkeit im Niedriglohnsektor eine Form der *Diskontinuität* in der Erwerbsbiographie, welche in ihren Auswirkungen auf die Existenzsicherung über den Zeitraum der Beschäftigung hinaus in die Zukunft reicht; für Zeiten niedriger Erträge im Normalarbeitsverhältnis werden insbesondere in der Rentenversicherung auch niedrige Anwartschaften erworben.[255]

c) Im hier interessierenden Zusammenhang ist das *Arbeitsrecht* angesprochen, soweit Armutsrisiken mit geringem Erwerbseinkommen aus abhängiger Beschäftigung zusammenhängen. Das *Sozialrecht* ist zuständig für die Frage, inwieweit Armutsgefährdung durch Vorsorge oder durch umverteilende Staatstätigkeit entgegenzutreten ist. Darauf, dass beides *Wechselwirkungen* auslöst und in Abstimmung zu erfolgen hat, ist näher einzugehen.

2. *Tatsächliche Entwicklungen und Erträge*

a) Ausgangspunkt

Was die *atypische Beschäftigung* betrifft, sind Niedriglöhne in den Bereichen der geringfügigen Beschäftigung und der Leiharbeit weit verbreitet. Auf die dortigen Darlegungen[256] kann Bezug genommen

[255] Zahlen oben S. 11.

[256] Zu den Erträgen bei geringfügiger Beschäftigung oben S. 30ff., bei Leiharbeit oben S. 45ff.

werden. Was das Normalarbeitsverhältnis betrifft, bezogen im Jahr 2006 11,1% der im *Normalarbeitsverhältnis* Beschäftigten einen Niedriglohn, das heißt eine Vergütung von weniger als zwei Dritteln des Median-Verdienstes,[257] konkret einen Stundenlohn von weniger als 9,85 € brutto.[258] In absolute Zahlen gesetzt, betrifft dies 1,6 Mio. *Normal*beschäftigte; dabei sind Betriebe mit weniger als zehn Beschäftigten sowie die Wirtschaftsbereiche Land- und Forstwirtschaft, Fischerei, Öffentliche Verwaltung und private Haushalte *nicht* berücksichtigt. Aus einem anderen Blickwinkel betrachtet sind 42,6% der niedrig Entlohnten in einem Normalarbeitsverhältnis tätig, im übrigen haben geringfügig Beschäftigte einen Anteil von 32,2%, befristet Beschäftigte von 11,6% und Teilzeitbeschäftigte sowie Leiharbeitnehmer einen Anteil von jeweils 6,8%. Die absolute Zahl der Beschäftigten im Niedriglohnsektor betrug im Jahr 2006 etwa 6,5 Mio. Beschäftigte (rund 20% aller Beschäftigten).[259] Im Jahr 1998 waren es noch ca. 4 Mio. Beschäftigte (rund 14,2% aller Beschäftigten).[260] Das Phänomen hat *längerfristig steigende Tendenz.*

Unter den niedrig entlohnten Arbeitskräften ist der *Anteil der Frauen* höher als der Anteil der Männer (27,2% der Arbeitnehmerinnen und 14,3% der Arbeitnehmer). Dies liegt daran, dass der Anteil der Frauen in der schlechter bezahlten atypischen Beschäftigung höher ist, und daran, dass auch im Normalarbeitsverhältnis Frauen häufiger einen Niedriglohn erhalten als Männer. Bei den gering Qualifizierten erhielten im Jahr 2006 30% einen Niedriglohn; bei den hoch Qualifizierten waren es 3,7%.[261] Was die Entgelthöhe angeht, liegen sowohl im Normalarbeitsverhältnis als auch in atypischen Beschäftigungsverhältnissen unstreitig niedrige Entgelte zum Teil unter 5 €.[262] Den durchschnittlich im Niedriglohnbereich erzielten Stundenlohn errechnet eine neuere Untersuchung für 2007 mit 6,88 € in West- und 5,60 € in Ostdeutschland.[263] Bei Annahme einer 40-Stunden-Woche im Normalarbeitsverhältnis ergibt ein Stundenlohn von 5 € ein Monatsentgelt von brutto rund 867 €, ein Stundenlohn von 6 € ein Monatsentgelt von brutto rund 1040 €, ein Stundenlohn von 7,50 € ein Monatsentgelt von brutto rund 1300 €. Unter den oben dargelegten Bedingungen[264] erreicht man im Hinblick auf die Altersvorsorge mit 45 Versicherungsjahren und einer 40-Stunden-Woche bei einem Stundenlohn von 7,50 € eine Monatsrente von

---

257 Dazu sogleich S. 73.

258 Statistisches Bundesamt (Hrsg.) (Fn. 5), S. 15.

259 Zu allem Statistisches Bundesamt (Hrsg.) (Fn. 5), S. 15f. Siehe ferner Statistisches Bundesamt (Hrsg.), Verdienste und Arbeitskosten, Verdienststrukturerhebung 2006, Fachserie 16/Heft 1. Vgl. auch *Kalina/Weinkopf* (Fn. 77), S. 4.

260 Vgl. *Kalina/Weinkopf* (Fn. 77), S. 3, 5.

261 Statistisches Bundesamt (Hrsg.) (Fn. 5), S. 17. *Kalina/Weinkopf* (Fn. 77), S. 6, errechnen für das Jahr 2007 bei einer angenommenen einheitlichen Niedriglohnschwelle von 9,19 €, dass 43,3% der gering Qualifizierten einen Niedriglohn erzielten und damit 20,8% des Niedriglohnsektors ausmachten. Bei den hoch Qualifizierten erhielten danach 7,6% einen Niedriglohn und machten 8,4% des Niedriglohnsektors aus.

262 Vgl. die einzelnen Bruttomonatsverdienste in: Statistisches Bundesamt (Hrsg.) (Fn. 259).

263 *Kalina/Weinkopf* (Fn. 77), S. 7.

264 Siehe oben S. 11.

rund 620 €, mit einem Stundenlohn von 8,20 € eine Monatsrente von rund 678 €. Die Grundsicherung im Alter liegt derzeit bei 676 € (Regelleistung 359 € zuzügl. Unterkunftskosten von derzeit im Mittel 317 €).

b) Niedriglohn und Armutsgefährdung

Niedriglohn (im Normalarbeitsverhältnis und in atypischer Beschäftigung) kann, muss jedoch nicht zu *Armutsgefährdung* oder zu *Armut* führen.[265] Neben dem Erwerbseinkommen ist die Einkommenssituation von weiteren Faktoren abhängig (wie Arbeitsumfang, Steuern, Abgaben, Transferleistungen, eventuell Vermögen und dem Haushaltskontext). Eine Armutsgefährdung kann etwa ausscheiden, wenn zwei in einem Haushalt lebende Ehepartner ein Normalarbeitsverhältnis mit einer Vergütung jeweils im Niedriglohnbereich ausüben.

Armutsgefährdung wird in einer Relation zum mittleren Einkommen *(Median-Einkommen)* definiert. Nach der Definition der EU, die auch der dritte Armuts- und Reichtumsbericht der Bundesregierung (2008) zugrunde legt, gilt als armutsgefährdet, wer weniger als 60% des Median-Einkommens zur Verfügung hat.[266] Dabei wird der Berechnung das *Äquivalenzeinkommen* zugrunde gelegt, welches die Haushaltsstruktur berücksichtigt. Das Äquivalenzeinkommen ist ein bedarfsgewichtetes Pro-Kopf-Einkommen je Haushaltsmitglied. Es wird ermittelt, indem das Haushaltsnettoeinkommen durch die Summe der Bedarfsgewichte der im Haushalt lebenden Personen geteilt wird.[267] Natürlich ist das Armutsrisiko in dem dargelegten Sinn eng mit der Erwerbsstruktur des Haushalts verbunden. Einleuchtend ist, dass atypisch Beschäftigte, die in Haushalten ohne weitere Erwerbstätige leben, sehr viel häufiger über ein Haushaltseinkommen unterhalb der Schwelle der Armutsgefährdung verfügen (30,3%) als im Normalarbeitsverhältnis Beschäftigte gleicher Haushaltssituation (6,0%). Zusammengefasst führt niedriges Einkommen im Normalarbeitsverhältnis seltener zu Armutsrisiken oder Armut als Erwerbstätigkeit in atypischer Beschäftigung.

c) Niedriglohn und Grundsicherung für Arbeitsuchende

Ein in diesem Zusammenhang zu bedenkender Gesichtspunkt ist die *sozialrechtlich geregelte Aufstockung des Arbeitsentgelts durch Transferleistungen.*[268] Die Grundsicherung für Arbeitsuchende greift

---

265 Siehe zum Nachfolgenden *Bruckmeier/Graf/Rudolph* (Fn. 81); *Rhein* (Fn. 16), 1 ff.; Statistisches Bundesamt (Hrsg.) (Fn. 5), S. 21 ff.

266 Vgl. Europäische Kommission, Ausschuss für Sozialschutz, Bericht über Indikatoren im Bereich Armut und soziale Ausgrenzung, 2001 siehe ec.europa.eu/employment_social/spsi/docs/social_protection_commitee/laeken_list.pdf; Bundesministerium für Arbeit und Soziales (Hrsg.), Lebenslagen in Deutschland. Der dritte Armuts- und Reichtumsbericht der Bundesregierung, 2008, S. IX.

267 Siehe zu Einzelheiten Statistisches Bundesamt (Hrsg.) (Fn. 5), S. 23 ff.

268 Näher zum Folgenden *Bruckmeier/Graf/Rudolph* (Fn. 253), 20 ff.; *Dietz/Müller/Trappmann*, IAB-Kurzbericht 2/2009, 1 ff.; *Rhein* (Fn. 16), 1 ff.; *Spellbrink*

auch ein, wenn trotz Erwerbstätigkeit Bedürftigkeit verbleibt. Arbeitsentgelt und sozialrechtliche Transferleistung können also nebeneinander stehen. Dies ist bei neuen Beschäftigungsformen (namentlich bei geringfügiger Beschäftigung und im Bereich der Leiharbeit) häufiger relevant als bei einer Beschäftigung im Normalarbeitsverhältnis.[269] Die geringfügige Beschäftigung ist in beträchtlichem Umfang inzwischen zu einem Hinzuverdienstmodell während des Bezugs von Arbeitslosengeld II geworden. Das Zusammentreffen von Hilfebedürftigkeit und Erwerbstätigkeit wird in der Tendenz häufiger: Während die Gesamtzahl der erwerbsfähigen Hilfebedürftigen von Dezember 2007 bis Dezember 2008 um 300 132 Personen abnahm, nahm die Zahl der sog. Aufstocker um 32 537 auf 1 321 599 Personen (davon 1 231 703 abhängig Beschäftigte) zu.

aa) Im Normalarbeitsverhältnis ist es nicht der *zu geringe Arbeitsumfang*, der für die Hilfebedürftigkeit trotz einer Erwerbstätigkeit verantwortlich ist, sondern der (nicht unbedingt im Niedriglohnbereich liegende) *Ertrag der Arbeit in Verbindung mit dem Haushaltskontext.*

Im Einzelnen: Bei vollzeitbeschäftigten Alleinstehenden muss geringes Arbeitsentgelt als Ursache für die Bedürftigkeit gelten. Das betrifft 36 000 Personen.[270] Bei Paaren mit zwei (und mehr) Kindern, bei denen ein Elternteil allein verdient, erfolgt die Aufstockung durch Leistungen der Grundsicherung oder durch den Kinderzuschlag (§ 6 a BKGG) in zahlreichen Fällen dagegen auch bei einem Arbeitsentgelt oberhalb der Niedriglohnschwelle. Von 275 000 „Aufstocker-Bedarfsgemeinschaften" bei Paaren mit Kindern unter 25 Jahren im ersten Halbjahr 2007 waren 85 000 Bedarfsgemeinschaften mit einem Kind unter 25 Jahren, 136 000 Bedarfsgemeinschaften mit zwei Kindern und 54 000 Bedarfsgemeinschaften mit drei und mehr Kindern.[271] Bei den in Arbeitsverhältnissen beschäftigten „Aufstockern" handelt es sich unter dem Strich überwiegend um Personen, die nicht in einem Normalarbeitsverhältnis vollschichtig beschäftigt sind; etwas mehr als 20% der abhängig beschäftigten Aufstocker sind vollzeitbeschäftigt.[272] Es liegt auf der Hand, dass die Höhe des sog. *Äquivalenzlohns*, durch dessen Erzielung im Arbeitsverhältnis die Transferleistung überflüssig werden würde, von der Zusammensetzung, insbesondere der Größe der Bedarfsgemeinschaft abhängig ist. Dieser sog. Äquivalenzlohn wird unterschiedlich beurteilt: In einer Untersuchung des Institutes für Arbeitsmarkt- und Berufsforschung (IAB)[273] aus dem Jahr 2007 unter Geltung der (inzwischen erhöhten) früheren SGB-II-Regelleistungen wird er für Alleinstehende mit brutto 4,41 € errechnet, bei einem Alleinerziehenden mit einem Kind unter 7 Jahren mit brutto 5,86 €, bei Paaren ohne Kinder, wenn ein Partner allein verdient, mit brutto 7,41 €, und bei Paaren mit zwei Kindern unter 7 Jahren, bei denen nur ein Partner verdient, müsste der Äquivalenzlohn danach

---

(Fn. 87), S. 163 (169 f.). Umfassendes Zahlenmaterial bietet Bundesagentur für Arbeit (Hrsg.), Analyse der Grundsicherung für Arbeitsuchende, April 2009.

[269] Zahlen bei Bundesagentur für Arbeit (Hrsg.) (Fn. 268), S. 21.

[270] Vgl. *Dietz/Müller/Trappmann* (Fn. 268), 1 (3).

[271] Näher *Dietz/Müller/Trappmann* (Fn. 268), 1 (2 f.).

[272] *Dietz/Müller/Trappmann* (Fn. 268), 1 (2 f.).

[273] *Dietz/Walwei*, IAB-Forum 1/2007, 32 ff. Siehe auch *Bender u. a.*, IAB-Kurzbericht 19/2009, 1 (4 ff.).

brutto 7,17 € betragen. Eine neuere Studie aus dem Jahr 2009[274] kommt zu dem Ergebnis, dass ein Alleinstehender im Rahmen einer 40-Stunden-Woche 7,12 € brutto verdienen müsste, ein Alleinerziehender mit einem Kind im Mittel 7,80 €, ein Ehepaar ohne Kinder 9,25 €, ein Ehepaar mit zwei Kindern durchschnittlich 8,49 €.

bb) Unter dem Strich ist festzuhalten: Die Anzahl der „Aufstocker-Bedarfsgemeinschaften" hat längerfristig betrachtet steigende Tendenz, es handelt sich also um ein *zu beachtendes Phänomen;* niedriges Arbeitsentgelt bildet eine von mehreren Ursachen der Bedürftigkeit; andere Ursachen sind vor allem ein auf unterschiedlichen Gründen beruhender zu geringer Arbeitsumfang und der Haushaltskontext. Zu beobachten bleibt die Entwicklung der *Wechselbeziehungen zwischen diesen Faktoren.* Insoweit ist davon auszugehen, dass sich der Haushaltskontext in den letzten zehn Jahren wenig verändert hat, so dass die bestimmenden Faktoren an den anderen Stellen liegen. Zu beachten ist, dass *Verschiebungen innerhalb des Budgets der steuerfinanzierten Transferleistungen* (also von Leistungen der Grundsicherung hin zu Leistungen der Familienförderung durch den im Oktober 2008 erhöhten Kinderzuschlag gem. § 6a BKGG zur Vermeidung von Hilfebedürftigkeit i.S.v. § 9 SGB II oder hin zu Wohngeldleistungen) an dem Problem nichts ändern: Die Leistungsempfänger sichern in allen diesen Fällen den Lebensunterhalt nicht aus eigener Kraft, die steuerfinanzierte subsidiäre Basissicherung ist nur an besserer Stelle als bei der Grundsicherung des SGB II platziert.

3. Rechtliche Rahmenbedingungen

a) Verbot sittenwidriger Vergütung

Eine unterste Grenze für niedrige Vergütung auch im Arbeitsverhältnis setzt das Bürgerliche Recht gem. § 138 I BGB unter dem Gesichtspunkt des Wuchers. Gem. § 291 I 1 Nr. 3 StGB ist Wucher strafbar. Das Bundesarbeitsgericht hat insoweit mit Urteil vom 22. 4. 2009[275] in Auseinandersetzung mit Rechtsprechung und Schrifttum höchstrichterlich einen Richtwert entwickelt. Danach ist Nichtigkeit des Rechtsgeschäfts wegen Lohnwuchers gem. § 138 II BGB gegeben, wenn die Arbeitsvergütung *nicht einmal zwei Drittel* eines in der betreffenden Branche und Wirtschaftsregion üblicherweise gezahlten Tariflohns erreicht.

---

[274] *Steffen*, Bedarfsdeckende Bruttoentgelte, Arbeitnehmerkammer Bremen 08/2009, unter www.arbeitnehmerkammer.de/sozialpolitik.

[275] *BAG* 22. 4. 2009 – 5 AZR 436/08 – NZA 2009, 837 ff.

Die Klägerin, eine Portugiesin und der deutschen Sprache nicht mächtig, war in dem Rechtsstreit von 1992 bis Ende Mai 2002, ebenso wie ihr Ehemann, als ungelernte Hilfskraft in einem Gartenbaubetrieb beschäftigt gewesen. Sie erhielt einen Stundenlohn von 6 DM netto, der vom 1. 1. 2002 an auf 3,25 € netto erhöht wurde. Außerdem erhielt sie an Sonntagen zusätzlich pauschal 10 DM netto und Sachbezüge (in Gestalt von Wohnung, Gemüsegarten und einem Schuppen als Hühnerstall, einschl. elektrischem Strom), für die in den Lohnabrechnungen ein anteiliger Wert zwischen 140 DM netto und 76,25 € netto monatlich festgelegt wurde. Die Eheleute wohnten gemeinsam mit zwei minderjährigen Kindern auf dem Betriebsgelände. Die Klägerin arbeitete durchschnittlich 269 Stunden im Monat.

aa) Gem. § 138 II BGB ist ein Rechtsgeschäft nichtig, durch das sich jemand unter Ausbeutung der Zwangslage, der Unerfahrenheit oder des Mangels an Urteilsvermögen eines anderen für eine Leistung Vermögensvorteile versprechen oder gewähren lässt, die in einem auffälligen Missverhältnis zu der Leistung stehen. Diese Bestimmung gilt auch für das auffällige Missverhältnis zwischen dem Wert einer Arbeitsleistung und dem dafür gezahlten Entgelt im Arbeitsverhältnis. Wucher ist eine besondere Ausprägung der Sittenwidrigkeit gem. § 138 I BGB. Die Sittenwidrigkeit einer Entgeltvereinbarung richtet sich nicht allein nach der vereinbarten Entgelthöhe. Insbesondere überlange, das gesetzlich Zulässige weit übersteigende und unregelmäßige Arbeitszeiten können die Beurteilung der Sittenwidrigkeit der Entgeltvereinbarung beeinflussen.[276]

bb) Es ist zu begrüßen, wenn das BAG mit seinem Urteil einen *Richtwert* für das Vorliegen eines auffälligen Missverhältnisses zwischen Leistung und Gegenleistung vorgibt und ein auffälliges Missverhältnis zwischen Leistung und Gegenleistung grundsätzlich bejaht, wenn das Arbeitsentgelt nicht einmal zwei Drittel eines in der betreffenden Branche und Wirtschaftsregion üblicherweise gezahlten Tariflohns erreicht. In der Tat drücken die Tariflöhne des jeweiligen Wirtschaftszweiges regelmäßig den objektiven Wert einer Arbeitsleistung aus, wenn sie in dem betreffenden Wirtschaftsgebiet üblicherweise gezahlt werden.[277] Es handelt sich nicht um eine allgemeine und absolute Untergrenze, sondern um eine branchenbezogene und relative Grenze. Die mit dem Urteil gebildeten Maßstäbe lassen die Berücksichtigung besonderer Umstände des Einzelfalls zu und geben für Ausnahmekonstellationen einen nachvollziehbaren Rechtsrahmen vor. Praktikabel erscheint auch, eine Üblichkeit der Tarifvergütung dann anzunehmen, wenn entweder mehr als 50% der Arbeitgeber eines Wirtschaftsgebietes tarifgebunden sind oder wenn die organisierten Arbeitgeber mehr als 50% der Arbeitnehmer eines Wirtschaftsgebiets beschäftigen.[278] Zu vergleichen ist die regelmäßig

---

[276] Siehe zu diesem Maßstab *BAG*, a. a. O., Rn. 9–11.
[277] Kritisch *Wank*, in: Festschrift für Buchner, 2009, S. 898 (911 f.).
[278] *BAG*, a. a. O., Rn. 24.

gezahlte Vergütung mit dem regelmäßigen Tariflohn; tarifliche Zulagen und Zuschläge für besondere Erschwernisse oder Zuschläge aus bestimmten Anlässen werden ebenso wenig berücksichtigt wie unregelmäßige Zusatzleistungen neben der Arbeitsvergütung.[279] Ist die Entgeltvereinbarung wegen Verstoßes gegen § 138 BGB nichtig, schuldet der Arbeitgeber gem. § 612 II BGB die übliche Vergütung. Der Lohnwucherer geht also ein finanzielles Risiko ein. In dem entschiedenen (und an das LAG zurückverwiesenen) Fall hatte die Klägerin Restlohn in Höhe von knapp 37000 € brutto nebst Zinsen beansprucht. Es droht dem Lohnwucherer ferner die Inanspruchnahme durch Sozialleistungsträger aufgrund Forderungsübergangs kraft Gesetzes gem. § 115 SGB X, wenn die Sozialleistungsträger in Vorleistung getreten sind.[280]

b) Das Konzept branchenbezogener Mindestlöhne

Gesellschaftspolitisch sind niedrige Löhne nicht nur dann zu diskutieren, wenn zwischen der Arbeitsleistung und dem Arbeitsentgelt ein auffälliges Missverhältnis im Sinn von § 138 II BGB besteht, so dass sittenwidriger Lohnwucher vorliegt. Für eine korrekte und nachhaltig funktionierende Ausgestaltung des Rechtsrahmens der Arbeitsbeziehungen durch den Staat ist die Existenz zu niedriger Arbeitsentgelte auch oberhalb des sittenwidrigen Lohnwuchers auf die Dauer problematisch: Das gilt nicht nur wegen der Gewissheit, dass benötigte und ordnungsgemäß erbrachte Arbeit eine ordnungsgemäße (und nicht lediglich nicht sittenwidrige) Bezahlung gebietet, weil sie einen entsprechenden Wert hat. Im Hinblick auf den Rechtsrahmen hat die Frage auch nicht nur Bedeutung für die „direkte Vergütung“ der Arbeitsleistung, mit der die täglichen Ausgaben zur Existenzsicherung bestritten werden. Ist, wie in der Bundesrepublik Deutschland, die Absicherung der sozialen Risiken in erster Linie an die Beschäftigung in abhängiger Arbeit angeknüpft und in ihrer Höhe am Arbeitsentgelt orientiert, führt zu niedriges Arbeitsentgelt auch zu einer geringeren Vorsorge (in Renten- und Arbeitslosenversicherung) sowie zu geringeren Beiträgen zu Versicherungssystemen, deren Leistung von der Höhe des Beitrags unabhängig ist (also in Kranken- und Pflegeversicherung). Mehr als früher dringt angesichts der mit der Finanzmarktkrise ausgelösten Belastungen der Allgemeinheit ins Bewusstsein, wie unwahrscheinlich es ist, dass anwachsende Vorsorgelücken aus Steuermitteln der Zukunft aufgefangen werden könnten. Die Frage ist, ob es vor diesem – bisher kaum

---

279 *BAG*, a.a.O., Rn. 18.

280 Vgl. den Fall *ArbG Stralsund* 10. 2. 2009 – 1 Ca 313/08 – ArbuR 2009, 182f.

diskutierten – Hintergrund gesellschaftspolitisch nicht nur zu empfehlen, sondern notwendig ist, oberhalb der gem. § 138 BGB sittenwidrigen Vergütung angesiedelte niedrige Arbeitsentgelte durch staatliches Gesetz auszuschließen. Immerhin ist doch bisher allseits anerkannt, dass die Existenzsicherung von den Einzelnen, von Notlagen abgesehen, eigenverantwortlich auf privatautonomer Grundlage zu schaffen ist; an diese Rahmenbedingung des Privatrechts knüpft das Sozialrecht in seinem Grundmodell folgerichtig und rechtlich stimmig die Absicherung durch Vorsorge in den Sozialversicherungssystemen an.

aa) Ausgangslage

Die Festlegung der Vergütung für Arbeitsleistungen und insbesondere die Festlegung der Höhe der Vergütung ist ohne jeden Zweifel *in erster Linie Sache der Tarifvertragsparteien und der Parteien des einzelnen Arbeitsverhältnisses,* nicht Aufgabe des Staates. Auf der tarifautonomen und auf der privatautonomen Gestaltung der Arbeitsentgelte war über Jahrzehnte die praktische Handhabung der Entgeltfindung auch aufgebaut. Das Gesetz über die Festsetzung von Mindestarbeitsbedingungen (MindArbBedG) erlaubte zwar schon seit 1952 die staatliche Festsetzung von Mindestlöhnen durch Rechtsverordnung; Gebrauch gemacht wurde davon aber nie. Mindestarbeitsbedingungen und insbesondere Mindestentgelte wurden jahrzehntelang durch Tarifverträge festgelegt und durch eine durchgängige Praxis der Inbezugnahme auf nahezu alle Arbeitsverhältnisse ausgeweitet. Das Problem, von dem hier die Rede ist, stellte sich nicht.

Wenn nunmehr seit einigen Jahren die Frage auf der Tagesordnung steht, ob nicht Mindestlöhne durch den staatlichen Gesetzgeber, wie in der Europäischen Union in 20 von 27 Mitgliedstaaten,[281] festgelegt werden sollten, liegt dies an *Veränderungen in mehreren Hinsichten,* die in den letzten Jahren eingetreten sind: Allgemein nimmt die *Tarifbindung* sowohl auf der Seite der Arbeitnehmer als auch auf der Seite der Arbeitgeber, nach Wirtschaftszweigen und Regionen unterschiedlich, ab; im *Dienstleistungssektor,* dessen Bedeutung in den letzten Jahren beständig gewachsen ist und dessen Bedeutung auch in der Zukunft weiter wachsen wird, entsteht ein leistungsfähiges Tarifwesen nicht; die Tarifbindung im Bereich der *atypischen Beschäftigung* ist, nicht nur wegen der ohnehin in der Gesellschaft verbreiteten Vereinzelung der Interessen allgemein und der überwie-

[281] Instruktiver Überblick bei *Thüsing*, RdA 2009, 118 (121 ff.). Siehe ferner *Funk/Lesch*, Sozialer Fortschritt 2006, 83 ff. Ausführlich *Schulten/Bispinck/Schäfer* (Hrsg.), Mindestlöhne in Europa, 2006.

genden Ansiedlung von atypischer Beschäftigung im Dienstleistungssektor, sondern auch wegen der unterschiedlichen situationsbedingten Verhältnisse vor allem im Bereich der geringfügigen Beschäftigung und der Leiharbeit, von jeher gering. Die Debatte um Mindestlöhne ist Gradmesser sich verändernder Bedingungen in den Arbeitsbeziehungen. Der Gesetzgeber hat nunmehr mit Wirkung vom 24. bzw. 28. 4. 2009 *branchenbezogene Mindestlöhne* durch Veränderung des Arbeitnehmer-Entsendegesetzes (AEntG) und des Mindestarbeitsbedingungengesetzes (MindArbBedG) eingeführt.[282]

bb) Wesentliche Elemente der Neuregelungen

(1) Die branchenbezogene Festsetzung von Mindestarbeitsbedingungen, insbesondere von Mindestarbeitsentgelten, ist auf zwei Wegen möglich: Nach Maßgabe des *Arbeitnehmer-Entsendegesetzes (AEntG)* können Mindestarbeitsbedingungen (insbesondere Mindestentgeltsätze und Mindesturlaub, vgl. § 5 AEntG) festgesetzt werden, indem die Rechtsnormen eines – bundesweiten – Tarifvertrags auf alle unter seinen Geltungsbereich fallenden und nicht an ihn gebundenen Arbeitgeber sowie Arbeitnehmer *erstreckt werden* (vgl. §§ 3, 7 I, 8 AEntG). Dieser Weg ist eröffnet, wenn tarifvertragliche Regelungen bestehen, die Erstreckung im öffentlichen Interesse geboten erscheint (§ 7 I 2 AEntG, § 5 I 1 Nr. 2 TVG), es sich um den Tarifvertrag einer gem. § 4 AEntG einbezogenen Branche (Bauhauptgewerbe, Gebäudereinigung, Briefdienstleistungen, Sicherheitsdienstleistungen, Bergbauspezialarbeiten auf Steinkohlebergwerken, Wäschereidienstleistungen im Objektkundengeschäft, Abfallwirtschaft einschließlich Straßenreinigung und Winterdienst sowie Aus- und Weiterbildungsdienstleistungen nach dem SGB II oder dem SGB III) handelt. Auf dem zweiten Weg erfolgt die Festsetzung nicht von Mindestarbeitsbedingungen, sondern nur von Mindestarbeits*entgelten* nach Maßgabe der Bestimmungen des *Mindestarbeitsbedingungengesetzes (MiArbG).* Danach können Mindestarbeitsentgelte in einem Wirtschaftszweig durch Rechtsverordnung (§ 4 III MiArbG) *festgesetzt werden,* wenn in dem Wirtschaftszweig bundesweit die an Tarifverträge gebundenen Arbeitgeber weniger als 50% der unter den Geltungsbereich dieser Tarifverträge fallenden Arbeitnehmer beschäftigen (§ 1 II MiArbG).

Das AEntG bietet also einen Rechtsrahmen zur Festlegung von Mindestlöhnen *durch Erstreckung tarifvertraglicher Regelungen* (durch Rechtsverordnung oder Allgemeinverbindlicherklärung) in Branchen mit einem praktizierten Tarifwesen; es wurde im Vorfeld Branchen mit einer Tarifbindung von mindestens 50% angeboten,

---

[282] Siehe zu allen Hintergründen *Thüsing*, AEntG, 2010, Einl. Rn. 1–30, 49–54. Sehr kritisch der *Sachverständigenrat* (Fn. 2), S. 334ff., insbes. bei Nr. 580.

in das Arbeitnehmer-Entsendegesetz aufgenommen zu werden, wovon die Tarifvertragsparteien aus den genannten Branchen bis zum Stichtag (31. 3. 2008) Gebrauch gemacht haben. Anträge sind auch weiterhin möglich. Das MiArbG eröffnet die *Festsetzung von Mindestentgelten* in Wirtschaftszweigen, in denen es entweder keine Tarifverträge gibt oder in denen eine Tarifbindung nur für eine Minderheit der Arbeitnehmer oder der Arbeitgeber besteht, so dass der erste Weg über das AEntG nicht gegangen werden kann.[283] Am Ende steht ein mehr oder weniger großer Flickenteppich, bei dessen Betrachtung der Eindruck nicht zu unterdrücken ist, dass die getroffene Auswahl, wer durch einen Mindestlohn geschützt sein wird und wer nicht, schlussendlich ohne sachliche Rechtfertigung bleiben könnte.

(2) Die *wesentlichen Einzelheiten des ersten Weges* über das AEntG liegen in Folgendem: Die *Erstreckung* kann zum einen durch Allgemeinverbindlicherklärung gem. § 5 TVG (§§ 3–6 AEntG), zum anderen durch Rechtsverordnung (§ 7 AEntG) erfolgen. Für eine Erstreckung durch Rechtsverordnung müssen die Voraussetzungen der §§ 4–6 AEntG erfüllt sein (§ 7 I 1 AEntG), und es muss ein gemeinsamer Antrag der Parteien des zu erstreckenden Tarifvertrags vorliegen. Bei einem erstmaligen Antrag auf Erstreckung eines Tarifvertrags in einer Branche ist der Tarifausschuss einbezogen (§ 7 V AEntG). Die geringen Anforderungen an den Zustimmungsgrad (es genügt die Zustimmung nur eines Drittels der Mitglieder) verhindert eine Blockade durch eine der Seiten. Kommt es zur Erstreckung der tarifvertraglichen Regelungen, haben in der Rechtsfolge Arbeitgeber mit Sitz im Inland oder im Ausland, die unter den Geltungsbereich des Tarifvertrags fallen, ihren Arbeitnehmern mindestens die in dem Tarifvertrag für den Beschäftigungsort vorgeschriebenen Arbeitsbedingungen zu gewähren (§ 8 I AEntG). Das gilt auch bei Tarifbindung des Arbeitgebers gem. § 3 TVG oder gem. § 5 TVG an einen anderen Tarifvertrag (§ 8 II AEntG). Im Bereich der Arbeitnehmerüberlassung hat der Verleiher zumindest die Arbeitsbedingungen zu gewähren, die sich für bei dem Entleiher zu verrichtenden Tätigkeiten aus einem dort erstreckten Tarifvertrag ergeben (§ 8 III AEntG). Sonderregeln gelten für die Pflegebranche (§§ 10–13 AEntG), um den dort aus der Präsenz der Kirchen folgenden rechtlichen Besonderheiten Rechnung zu tragen.

(3) Die *wesentlichen Einzelheiten des zweiten Weges* über das MiArbG liegen in Folgendem: Die *Festsetzung* von Mindestarbeitsentgelten erfolgt in einem zweistufigen Verfahren. Nach Maßgabe von § 3 MiArbG stellt der Hauptausschuss unter umfassender Berücksichtigung der sozialen und ökonomischen Auswirkungen durch Beschluss fest, ob in einem Wirtschaftszweig soziale Verwerfungen vorliegen und Mindestarbeitsentgelte festgesetzt, geändert oder aufgehoben werden sollen; der schriftlich zu begründende Beschluss bedarf der Zustimmung des Bundesministeriums für Arbeit und Soziales. Die Bundesregierung, die Spitzenorganisationen der Arbeitgeber und der Arbeitnehmer sowie die Landesregierungen können dem Hauptausschuss Vorschläge für die Festsetzung, Änderung oder Aufhebung von Mindestarbeitsentgelten unterbreiten. Der Hauptausschuss wird dauerhaft eingerichtet, er besteht aus einem Vorsitzenden und sechs weiteren ständigen Mitgliedern (vgl. § 2 MiArbG). Die konkreten Mindestarbeitsentgelte für die betreffenden Wirtschaftszweige setzen vom Bundesministerium für Arbeit und Soziales errichtete Fachausschüsse (§§ 4–6 MiArbG) fest. Am Ende kann die Bundesregierung gem. § 4 III MiArbG auf Vorschlag des Bundesministeriums für Arbeit und Soziales die vom Fachausschuss festgesetzten Mindestarbeitsentgelte als Rechtsverordnung nach pflichtgemäßem Ermessen erlassen. Rechtsfolge ist gem. § 8 I MiArbG, dass Arbeitgeber mit Sitz im In- und Ausland, die unter den Geltungsbereich der Rechtsverord-

---

[283] Siehe zu den Neuregelungen stellv. *Bayreuther*, NJW 2009, 2006 ff.; *Löwisch*, RdA 2009, 215 ff.; *Sittard*, NZA 2009, 346 ff.; *Waltermann*, NZA Beilage 2009, 110 (115 f.).

nung fallen, verpflichtet sind, ihren Arbeitnehmern mindestens die in der Rechtsverordnung für den Beschäftigungsort vorgeschriebenen Mindestarbeitsentgelte zu gewähren. Für vor dem 16. 7. 2008 abgeschlossene Tarifverträge gilt aus Gründen des Vertrauensschutzes ein Tarifvorrang.

cc) Kritikpunkte

Die Neuregelungen des AEntG und des MiArbG sind im rechtswissenschaftlichen Schrifttum zum Teil sehr kritisch aufgenommen und kommentiert worden.[284] In der Presse war sogar von „staatlicher Lohnfummelei" die Rede, von der Schwächung der Schwächsten am Arbeitsmarkt durch staatliches Lohndiktat und von einem „Vorhaben zur Förderung von Arbeitslosigkeit".[285] Das dürfte etwas übertrieben sein. Andererseits entsteht durch die auf beiden Wegen auf zahlreichen Einzelheiten und unbestimmten Rechtsbegriffen aufbauende Konzeption zur Verwirklichung branchenbezogener Mindestlöhne eine Vielzahl von Herausforderungen für Gerichte und Rechtswissenschaft. Von Einfachheit und Übersichtlichkeit kann nicht die Rede sein. Die Neuregelungen werfen auch verfassungsrechtliche Fragen auf. Die insoweit zum Teil geübte scharfe Kritik erscheint aber am Ende doch überzeichnet:

(1) Was die Kompliziertheit mit den daraus folgenden *Herausforderungen für Gerichte und Rechtswissenschaft* angeht, ist hervorzuheben: Im Anwendungsbereich des AEntG wird die Frage, ob ein Betrieb die Voraussetzungen für die Erstreckung eines Tarifvertrags nach Maßgabe des AEntG erfüllt oder nicht, im Einzelfall Schwierigkeiten bereiten; oftmals wird es an Kriterien für die verlässliche Abgrenzung fehlen. Rechtsunsicherheit besteht im Hinblick auf das Vorgehen, wenn in einer Branche mehrere Tarifverträge mit zumindest teilweise demselben fachlichen Geltungsbereich zur Anwendung kommen. Bei dem Erlass einer Rechtsverordnung ist dann nach Maßgabe von § 7 II AEntG eine Gesamtabwägung vorzunehmen, bei welcher ergänzend zu den in § 1 AEntG genannten Gesetzeszielen die Repräsentativität der jeweiligen Tarifverträge zu berücksichtigen ist. Allerdings ist der Gesichtspunkt der Repräsentativität in anderen Rechtsordnungen bekannt.[286] Gleichwohl werden insoweit Maßstäbe erst gebildet werden müssen. Liegen für mehrere Tarifverträge Anträge auf Allgemeinverbindlicherklärung vor, hat der Verordnungsgeber nach Maßgabe von § 7 III AEntG eine Auswahlentscheidung zu treffen und dabei die betroffenen Güter von Verfassungsrang „mit besonderer Sorgfalt" abzuwägen und die widerstreitenden Grundrechtsinteressen „zu einem schonenden Ausgleich" zu bringen. Rechtsprobleme ergeben sich in allen genannten Fallkonstellationen, wenn die Wirksamkeit eines Tarifvertrags (namentlich im Hinblick auf Tariffähigkeit oder Tarifzuständigkeit) in Frage steht.[287] Schließlich werden im Schrifttum europarechtliche Implikationen in

---

[284] Siehe stellv. *Sodan/Zimmermann*, ZfA 2008, 539ff.; *Thüsing*, ZfA 2008, 590ff.; *Willemsen/Sagan*, NZA 2008, 1216ff. Wesentlich zurückhaltender *Bayreuther*, NJW 2009, 2006ff.; *Löwisch*, RdA 2009, 215ff.; *Sittard*, NZA 2009, 346ff. Siehe auch *Jacobs*, in: Festschrift f. Walz, 2008, S. 289ff.

[285] *Göbel*, Frankfurter Allgemeine Zeitung v. 22. Januar 2009, Nr. 18, S. 11.

[286] Siehe dazu *Bayreuther*, NJW 2009, 2006 (2008), im Hinblick auf das englische, das amerikanische und das spanische Arbeitsrecht.

[287] Vgl. *Löwisch*, RdA 2009, 215 (220).

Bezug auf die Dienstleistungsfreiheit (Art. 49 EG) mit unterschiedlichen Ergebnissen diskutiert.[288] Was die Neufassung des MiArbG betrifft, bedarf der Feststellung, dass in dem betreffenden Wirtschaftszweig bundesweit die an Tarifverträge gebundenen Arbeitgeber weniger als 50% der unter den Geltungsbereich dieser Tarifverträge fallenden Arbeitnehmer beschäftigen (§ 1 II MiArbG); fraglich ist, wie zu entscheiden ist, wenn an unterschiedliche Tarifverträge gebundene Arbeitgeber bundesweit zusammen wenigstens 50% der unter den Geltungsbereich dieser Tarifverträge fallenden Arbeitnehmer beschäftigen oder wenn Tarifverträge in Betracht kommen, die keine Entgeltfragen regeln.[289]

(2) Die im rechtswissenschaftlichen Schrifttum geäußerte *Kritik in verfassungsrechtlicher Hinsicht* rügt sowohl in Bezug auf das AEntG als auch in Bezug auf das MiArbG vor allem eine unverhältnismäßige Verletzung der Koalitionsfreiheit (Art. 9 III GG). Was die Erstreckung von Tarifverträgen in den aufgenommen Branchen nach dem AEntG angeht, werde der bis zur Neuregelung gewährleistete Tarifvorrang abgeschafft; die Erstreckung erfasse alle unter den Geltungsbereich des Tarifvertrags fallenden Arbeitgeber und Arbeitnehmer und beschränke sich nicht auf eine Erstreckung auf Nicht-Tarifgebundene, was durch die Auflösung eventueller Tarifkonkurrenz zu Gunsten des erstreckten Tarifvertrags in der Auswirkung noch verstärkt werde. Dabei beschränke sich die Erstreckung nicht auf untere Mindestlöhne, sondern sie erlaube die Festsetzung von Mindestentgeltsätzen nach Art der Tätigkeit, Qualifikation der Arbeitnehmer und nach Regionen (vgl. § 5 Nr. 1 AEntG), so dass ein Mindestlohngefüge („Lohngitter“) errichtet werden könne. Da bei der Auflösung von Tarifkonkurrenzen die Repräsentativität ein entscheidendes Kriterium sei, würden kleinere Gewerkschaften benachteiligt.[290] Was die Festsetzung von Mindestarbeitsentgelten nach Maßgabe des MiArbG angeht, werde durch die Aufhebung des Tarifvorrangs gem. § 8 II MiArbG unverhältnismäßig in die Tarifautonomie eingegriffen. Die Ersetzung tarifvertraglicher Löhne durch staatlich festgesetzte Entgelte sei im Vergleich mit der Verdrängung tariflicher Löhne gem. § 7 AEntG erst recht als unverhältnismäßiger Eingriff anzusehen. Dabei wird insbesondere auch darauf hingewiesen, dass es auch im Anwendungsbereich des MiArbG nicht bei der Festsetzung eines Mindestlohns im Sinn der untersten Bedarfsdeckung bleibt, sondern die Festsetzung adäquater Entgelte nach Art der Tätigkeit, Qualifikation der Arbeitnehmer und nach Regionen eröffnet wird (vgl. § 4 IV 2 MiArbG); die Sicherung angemessener Arbeitsbedingungen in diesem Sinn sei aber Sache der Tarifvertragsparteien.[291] Dabei wird auf den Gesichtspunkt der Richtigkeitsgewähr hingewiesen.[292] Im rechtswissenschaftlichen Schrifttum finden sich andererseits auch Stimmen, die eine Verfassungswidrigkeit der Neuregelungen verneinen, insbesondere die mit den Neuregelungen verbundenen Eingriffe in die Tarifautonomie, jedenfalls bei verfassungskonformer Anwendung, als verhältnismäßig einstufen.[293]

---

[288] Siehe stellvertretend *Bayreuther*, NJW 2009, 2006 (2010); *Löwisch*, RdA 2009, 215 (222ff.); *Maier*, NZA 2009, 351ff.; *Rieble/Klebeck*, ZIP 2007, 829 (832f.); *Thüsing*, ZfA 2008, 590 (622f.).

[289] Vgl. ErfK/*Franzen* (Fn. 70), § 1 MiArbG Rn. 8f.; *Löwisch*, RdA 2009, 215 (217).

[290] Siehe stellvertretend *Sodan/Zimmermann*, ZfA 2008, 526 (536ff.); *Thüsing*, ZfA 2008, 590 (629ff.); *dens.* (Fn. 282), Einl. Rn. 33ff.; *Willemsen/Sagan*, NZA 2008, 1216 (1218ff.).

[291] Siehe zu allem stellvertretend *Sodan/Zimmermann*, ZfA 2008, 526 (539ff.); *Thüsing*, ZfA 2008, 590 (601ff.); *dens.* (Fn. 282), § 8 MiArbG, Rn. 32; *Willemsen/Sagan*, NZA 2008, 1216 (1220ff.).

[292] Siehe zu diesem Begriff oben S. 60f.

[293] Vgl. stellvertretend *Bayreuther*, NJW 2009, 2006ff.; ErfK/*Franzen* (Fn. 70), § 8 MiArbG Rn. 3ff. (zu Entgelten nach dem MiArbG); *Löwisch*, RdA 2009, 215 (220ff.); *Sittard*, NZA 2009, 346ff.; *Waltermann*, NZA Beilage 2009, 110 (116f.).

(3) Das Bundesverfassungsgericht hat in seiner bisherigen Rechtsprechung zu Grenzen der Gestaltungsfreiheit des Gesetzgebers im Bereich der klassischen Wirkungsfelder der Tarifautonomie Zurückhaltung geübt.[294] Das belegen aus jüngerer Zeit die Kammerentscheidung zu §§ 3 I Nr. 3, 9 Nr. 2 und 10 AÜG in der Fassung des Ersten Gesetzes für moderne Dienstleistungen am Arbeitsmarkt[295] und die Entscheidung des *Ersten Senats* zur Verfassungsmäßigkeit der Berliner Tariftreueregelung.[296]

(4) Der Frage der verfassungsrechtlichen Rechtfertigung ist im hier interessierenden Zusammenhang nicht im Einzelnen nachzugehen. Es dürfte im Hinblick auf die Verhältnismäßigkeit des Eingriffs in grundrechtliche Freiheiten, insbesondere in die Tarifautonomie, in der Sache aber nicht ohne Bedeutung sein, dass sich Konflikte zwischen staatlich festgesetzten oder erstreckten Mindestarbeitsbedingungen und für Tarifgebundene geltenden tarifvertraglichen Gestaltungen nur ergeben können, wenn die tarifvertragliche Gestaltung *nach unten* abweicht; unzweifelhaft gehen günstigere tarifvertragliche Gestaltungen vor.[297] Es geht sodann um die Festsetzung von *Mindest*löhnen, wenngleich eine gewisse Relativierung darin liegt, dass sowohl das AEntG als auch das MiArbG die Möglichkeit eröffnen, bei der Gestaltung von Mindestlöhnen nach der Art der Tätigkeit, der Qualifikation der Arbeitnehmer und der Region zu differenzieren, so dass die Konzeption von dem in den meisten Nachbarstaaten verwirklichten Modell eines Mindestlohns als absolute Untergrenze abweicht; AEntG und MiArbG folgen, was verfassungsrechtlich gegenüber der Festsetzung eines allgemeinen Mindestlohns rechtfertigungsbedürftiger erscheint, einem Modell „relativer Mindestlöhne". In der tatsächlichen Auswirkung stehen derzeit in diesem Sinn „relative" Mindestlöhne in einer doch beachtlichen Spanne (von 6 € bis über 12 €) zur Debatte. Was die Neuregelung des MiArbG angeht, ist zu bedenken, dass die Tarifverträge verdrängende Festsetzung von Mindestarbeitsentgelten gem. § 1 II MiArbG nur in Wirtschaftszweigen zum Tragen kommt, in denen eine Minderheit der Arbeitnehmer einem Tarifvertrag unterfällt.[298] Zur Konkurrenz mit bestehenden Tarifverträgen kommt es hier also nur in Bereichen, in denen die *Tarifautonomie keine prägende Bedeutung* bei der Gestaltung der Arbeits- und Wirtschaftsbedingungen hat. Sodann wird

---

[294] Zu den Maßstäben im Grundsätzlichen siehe *BVerfG* 24. 4. 1996 – 1 BvR 712/86 – BVerfGE 94, 268 (297).

[295] *BVerfG* 29. 12. 2004 – 1 BvR 2582/03 u. a. – NZA 2005, 153 ff.

[296] *BVerfG* 11. 7. 2006 – 1 BvL 4/00 – NZA 2007, 42 ff. Kritisch dazu *Höfling/Rixen*, RdA 2007, 360 ff.

[297] Vgl. nur Gesetzesbegründung, BT-Drs. 16/10485, S. 11 (zu § 8 II MiArbG).

[298] Vgl. ErfK/*Franzen* (Fn. 70), § 8 MiArbG Rn. 4.

der Eingriff in die Tarifautonomie durch den auf den Zeitpunkt des Kabinettsbeschlusses (16. 7. 2008) festgesetzten *Vertrauensschutz* gem. § 8 II MiArbG relativiert. Auch die Gestaltungsspielräume für *Sanierungstarifverträge* erscheinen nicht signifikant verkleinert;[299] zum einen stehen Lohnkürzungen in unteren Entgeltgruppen nicht im Zentrum des Interesses von Sanierungstarifverträgen,[300] zum anderen kann in die Rechtsverordnung gem. § 8 I 2 MiArbG, § 4 III Fall 1 TVG eine Öffnungsklausel aufgenommen werden.[301]

dd) Bewertung

Unter dem Strich wird man eher von der Rechtswirksamkeit der Neuregelungen in AEntG und MiArbG als von deren Verfassungswidrigkeit auszugehen haben. Die mit den Neuregelungen des AEntG und des MiArbG ermöglichten Mindestarbeitsbedingungen, insbesondere Mindestarbeitsentgelte, erreichen (jedenfalls bisher und auf absehbare Zeit) jedoch nicht alle Branchen und alle betreffenden Arbeitsverhältnisse. Am Ende dieses Wegs wird voraussichtlich ein mehr oder weniger weit geknüpfter Flickenteppich entstehen, bei dessen Bewertung der Eindruck nicht zu unterdrücken sein wird, dass die getroffene Auswahl, wer durch einen Mindestlohn geschützt sein wird und wer nicht, schlussendlich ohne sachliche Rechtfertigung bleiben könnte. Die verwirklichte Konzeption branchenbezogener Mindestlöhne ist auch zu kompliziert. Eigentlich beruht die Kompromisslösung auf der Bewertung, dass Mindestlöhne unnötig und unrichtig seien. Die Bundesregierung lehnt ausweislich des Koalitionsvertrags einen einheitlichen gesetzlichen Mindestlohn ab und wird nach einer bis Oktober 2011 durchzuführenden Evaluation darüber entscheiden, ob die geltenden Gesetzesregelungen Bestand haben oder aufgehoben werden sollen.[302]

4. Allgemeiner Mindestlohn?

Zu fragen bleibt, ob nicht ein flächendeckender, allgemeiner Mindestlohn, wie in 20 von 27 Mitgliedstaaten der EU geschehen, früher oder später eingeführt werden sollte. Die Frage stellt sich gerade auch im Hinblick auf die neuen Beschäftigungsformen, in denen

---

[299] Vgl. *Bayreuther*, NJW 2009, 2006 (2007). Anders *Löwisch*, RdA 2009, 215 (220f.).

[300] Das Beispiel gibt der Sanierungstarifvertrag mit der *Holzmann-AG*, siehe *BAG* 8. 10. 2008 – 5 AZR 8/08 – NZA 2009, 98 (101, Rn. 27ff.).

[301] Zutreffend ErfK/*Franzen* (Fn. 70), § 8 MiArbG Rn. 4.

[302] Koalitionsvertrag (Fn. 74), S. 21.

häufig niedrige Löhne gezahlt werden. Deutlich zeigt sich dies in den Bereichen der geringfügigen Teilzeitbeschäftigung und der Leiharbeit. Die Frage stellt sich aber auch im Hinblick auf das Normalarbeitsverhältnis. Bei ihrer Beantwortung ist aus rechtswissenschaftlicher Perspektive eine Reihe von Gesichtspunkten zu bedenken. Diese Gesichtspunkte vermitteln zugleich auch Erkenntnisse zu der Frage, ob (unbeschadet des Gesichtspunkts realistischer Finanzierbarkeit)[303] ein *steuerfinanziertes Mindesteinkommen*[304] in Betracht gezogen werden könnte, wie es in den Programmen politischer Parteien angestrebt wird.[305]

Im Einzelnen werden unterschiedliche Ausgestaltungen eines solchen Mindesteinkommens, welches nach allen Modellen mehr oder weniger aus dem Steueraufkommen abzuzweigen wäre, vorgeschlagen.[306] Dabei stellen Konzepte eines allgemeinen bedingungslosen *Grundeinkommens* einen Gegenentwurf zum gegenwärtigen System der sozialen Sicherheit dar. Das Versprechen, ein Mindesteinkommen zu gewährleisten, begegnet aber auch abseits der Frage einer grundsätzlichen Abkehr vom geltenden System in sozusagen kleiner Münze, indem vorschlagen wird, Arbeitnehmer auf Arbeitsplätzen mit niedriger Wertschöpfung, die, wie man sagt, bei höherer Entlohnung wegfallen würden, durch einen steuerfinanzierten Zuschuss unter dem Strich ein Mindesteinkommen zu garantieren (Kombilohn). Dem entspricht in der Fortsetzung das Vorhaben, denen, die ein Leben lang Vollzeit gearbeitet haben, ein bedarfsabhängiges *steuerfinanziertes Alterseinkommen* oberhalb der Grundsicherung zu geben.[307] Dies wird für besser gehalten als die Einführung eines allgemeinen Mindestlohns.[308]

a) Sozialrechtliche Transferleistungen und Arbeitsentgelt

Bei der Diskussion der Frage, ob nicht ein flächendeckender allgemeiner Mindestlohn (oder aber ein Mindesteinkommen) eingeführt werden sollte, ist aus rechtswissenschaftlicher Perspektive der *Zusammenhang* zwischen sozialrechtlichen Transferleistungen nach dem SGB II und dem Arbeitsentgelt in den Blick zu nehmen: Wie dargelegt,[309] greift die Grundsicherung auch ein, wenn trotz Erwerbstätigkeit Bedürftigkeit verbleibt. Arbeitsentgelt und sozialrechtliche Transferleistung können nebeneinander stehen. Dies ist

---

303 Überblick dazu mit weiterführenden Nachw. bei *Rhein*, NZA Beilage 2009, 91 (95ff.).

304 Dazu näher *Waltermann*, NJW 2010, 801ff.

305 Vgl. Regierungsprogramm 2009–2013 der CDU/CSU, S. 29; Konzept „Liberales Bürgergeld" der FDP, Beschl. d. 56. Bundesparteitags 2005.

306 Überblick mit Nachw. bei *Rhein*, NZA Beilage 3/2009, 91 (95f.).

307 Letzteres sieht der Koalitionsvertrag von CDU, CSU und FDP (Fn. 74) vor, dort, S. 84.

308 Gegen einen gesetzlichen Mindestlohn erneut auch der Sachverständigenrat in seinem Jahresgutachten 2009/2010. Vgl. Statistisches Bundesamt (Hrsg.), Sachverständigenrat zur Begutachtung der gesamtwirtschaftlichen Entwicklung, Jahresgutachten 2009/10, 2009, S. 281f., (mit abweichender Meinung des Mitglieds *Bofinger*, S. 302).

309 Siehe oben S. 73ff.

bei atypischer Beschäftigung (namentlich bei geringfügiger Beschäftigung) häufiger relevant als bei einer Beschäftigung im Normalarbeitsverhältnis. Die Zahl der Fälle, in denen Grundsicherung und Erwerbseinkommen nebeneinander stehen, hat in längerfristiger Perspektive steigende Tendenz. Ausweislich der Analyse der Grundsicherung für Arbeitsuchende durch die Bundesagentur für Arbeit vom September 2009[310] erzielte im Mai 2009 etwa ein Viertel der erwerbsfähigen Hilfebedürftigen (rund 1,3 Mio. Personen) Einkommen aus Erwerbstätigkeit. Etwa 15% (750400 Personen) aller Grundsicherungsempfänger erzielten ein monatliches Bruttoeinkommen unterhalb von 400 €. Etwa 5% (245000 Personen) erzielten ein Einkommen zwischen 400,01 € und 800 € und 6,5% aller erwerbsfähigen Hilfebedürftigen (320000 Personen) erzielten Einkommen über 800 € (nicht unbedingt auf der Grundlage einer Vollzeitbeschäftigung).

aa) Wie dargelegt,[311] bildet niedriges Arbeitsentgelt nur *eine von mehreren Ursachen,* die zu Hilfebedürftigkeit und damit zu Leistungen der Grundsicherung führen können. Andere Ursachen sind ein zu niedriger Arbeitsumfang und der Haushaltskontext. In allen Fällen steht aber eines fest: Ist *zumindest auch niedriges Einkommen* ursächlich für die Bedürftigkeit, wird dieser Ursachenbeitrag in dem Maß zurückgeführt, in welchem das niedrige Arbeitsentgelt unterhalb eines verwirklichten Mindestlohns liegt. Dabei sind Einsparungen in Bezug auf alle steuerfinanzierten Transferleistungen (Grundsicherung, Kinderzuschlag, Wohngeld) zu bedenken.

Im Einzelnen hat dies weniger Bedeutung bei *alleinstehenden Vollzeitbeschäftigten.* Alleinstehende Vollzeitbeschäftigte überschritten nach einer Untersuchung des Instituts für Arbeitsmarkt- und Berufsforschung (IAB)[312] im Jahr 2007 (unter Geltung der damaligen Regelleistungen) die Grenze der Bedürftigkeit im Sinn des SGB II bereits bei einem Bruttostundenlohn von 4,41 €.[313] Nach einer neueren Studie[314] bedürfte es im Jahr 2009 eines Bruttostundenlohns von 7,12 €.[315] Bei einem *alleinverdienenden Familienvater mit zwei Kindern* wird die Bedürftigkeit und also die Notwendigkeit einer Aufstockung des Arbeitsentgelts mit einem Mindestlohn von 7,50 € andererseits nicht überwunden. Sie würde aber in dem Ausmaß verringert, in welchem der Mindestlohn über dem ohne den Mindestlohn geleisteten niedrigeren Entgelt liegt.

bb) Erkennbar wird damit vom Ausgangspunkt der geltenden Rechtskonzeptionen des Privatrechts und des (vornehmlich auf der

---

[310] Bundesagentur für Arbeit (Hrsg.), Analyse der Grundsicherung für Arbeitsuchende, September 2009, S. 21 ff.

[311] Siehe oben S. 73 ff.

[312] *Dietz/Walwei* (Fn. 273), 32 ff. Siehe auch *Bender u. a.* (Fn. 273), 1 (4 ff.).

[313] Unter Berücksichtigung der geltenden Rechtslage ab dem 1. 7. 2009 käme man bei gleicher Berechnungsgrundlage zu einem Äquivalenzbruttolohn von 4,70 €.

[314] *Steffen* (Fn. 274) mit Berechnung auf der Grundlage einer 38,5 Stunden-Woche, sowie *Schulten,* WSI-Diskussionspapier Nr. 164, 2009, S. 9.

[315] Zum sog. Äquivalenzlohn oben S. 73.

Versicherung beruhenden) Rechts der sozialen Sicherheit ein Interesse der Gesellschaft daran, die steuerfinanzierten Aufwendungen für die nach geltendem Recht *als Auffangnetz gedachte* Grundsicherung – die sich in später aus dem Steueraufkommen zu finanzierenden Transferleistungen für Ruheständler fortsetzen[316] – im Ausmaß der Differenz zwischen Niedriglohn und Mindestlohn zurückzuführen. Dieses Interesse der Gesellschaft wäre umso größer, je mehr sich eine *Tendenz der Zunahme* niedriger Entgelte verfestigen sollte.

cc) Die Begrenzung steuerfinanzierter Aufwendungen erreichen zu wollen, bildet auf der Grundlage der geltenden Rechtskonzeption des Privatrechts und des Sozialrechts zugleich einen Gemeinwohlbelang, der bei der *verfassungsrechtlichen Rechtfertigung* eines allgemeinen Mindestlohns Bedeutung hat.[317] Das Privatrecht (und die auf Freiheit gegründete Verfassung in seinem Hintergrund) geht nämlich davon aus, dass der Einzelne seine Angelegenheiten, auch die der Existenzsicherung, selbst regelt. Der im Zentrum des Privatrechts stehende Gedanke der Privatautonomie lässt dem Einzelnen den Spielraum für eine selbstbestimmte und selbstverantwortliche Gestaltung seiner Lebensverhältnisse.[318] Das Prinzip der Selbstgestaltung der Rechtsverhältnisse durch den Einzelnen nach seinem Willen ist dabei nicht nur der das Privatrecht leitende Gedanke, sondern zugleich Kennzeichen unserer Gesellschaftsordnung. Ziel ist danach die Existenzsicherung der Arbeitnehmer auf der Basis ihres Arbeitsverhältnisses und die Subsidiarität staatlicher Unterstützung. Dafür ist ein geeigneter Rechtsrahmen bereitzuhalten. Sozialrechtlich knüpft daran folgerichtig und rechtlich stimmig die Versicherung an, wie sie seit den *Bismarck'schen* Sozialversicherungsgesetzen besteht. Die Sozialversicherung setzt die Existenzsicherung mit den von ihr erfassten Leistungen auf Basis der Versicherung sozusagen fort. Im Hinblick auf die gesetzliche Rentenversicherung hat dabei zweierlei Bedeutung: Nicht nur richtet sich der individuelle Rentenanspruch des Einzelnen nach den in Abhängigkeit vom Arbeitsentgelt geleisteten Beiträgen. Auch ist die *Lohnsumme insgesamt* die Messlatte dafür, welche Finanzvolumina für die jeweils laufenden Rentenleistungen zur Hand sind. Letzteres hat nicht nur im Hier und Jetzt Bedeutung. Die Entwicklung der Löhne entscheidet, wenn man bestrebt ist, die Rentenversicherungsbeiträge konstant zu halten, neben anderen Faktoren (wie der längeren Lebenserwartung) über die

---

[316] Siehe oben S. 11 und 85.

[317] Dazu unten S. 96ff.

[318] Siehe *BVerfG* 7. 2. 1990 – BvR 26/84 – NZA 1990, 389; *Canaris*, Systemdenken und Systembegriff in der Jurisprudenz, entwickelt am Beispiel des Deutschen Privatrechts, 2. Aufl., 1983, S. 48; *Flume* (Fn. 218), S. 1ff.

Erträge der Rentenleistungen in der Zukunft. Kombilohnmodelle müssten auch diese Auswirkungen bedenken.

dd) An diesen Fundamenten der geltenden Rechtsordnung gemessen wären eine allgemeine Grundsicherung, eine steuerfinanzierte Bürgersicherung oder ein steuerfinanziertes Mindesteinkommen ein *grundlegender Systemwechsel von großer Tragweite.* Ein Gesamtkonzept in dieser Hinsicht ist nicht zu erkennen.[319]

b) Marktsituation am Arbeitsmarkt im Niedriglohnbereich?

Der dargelegte Zusammenhang, der die Grundsicherung nach dem SGB II und andere entsprechende Transferleistungen zu einem *Kombilohnmodell* macht,[320] hat Auswirkungen auf die Marktsituation am Arbeitsmarkt im Niedriglohnbereich. Es ist in hohem Maß plausibel[321] und nahe liegende Praxis, dass letztendlich Arbeitnehmer sich mit einem niedrigeren Arbeitsentgelt zufrieden geben, wenn aufgrund der zu erwartenden Aufstockung mit Transferleistungen – unbeschadet der nicht motivierenden Geste eines nicht existenzsichernden Niedriglohns – die Kasse stimmt.[322] Das gilt umso mehr, wenn bei konsequenter Umsetzung der an einen arbeitsfähigen Hilfeempfänger gerichteten Forderung, zumutbare Arbeit anzunehmen, eine angebotene Chance ergriffen werden muss und nicht auf eine bessere Gelegenheit gewartet werden kann. Die ohnehin in Zeiten strukturell hoher Arbeitslosigkeit im Niedriglohnsektor ungünstige Verhandlungsposition des Arbeitnehmers wird durch beide Faktoren zusätzlich verschlechtert. An dem dargelegten Befund ändert es nichts, wenn etwa die Hälfte der Grundsicherungsempfänger angibt,

---

[319] Siehe auch unten S. 112ff.

[320] Diese Einschätzung wird allgemein geteilt, siehe stellvertretend *Spellbrink* (Fn. 87), S. 163 (169f., 173f.). Dabei ist nicht von entscheidender Bedeutung, inwieweit gerade ein niedriges Entgelt Ursache der Kombilohnwirkung ist.

[321] Im Jahresgutachten des *Sachverständigenrats* 2008/2009 (Fn. 2), S. 336 bei Nr. 578, wird dies als sehr spekulativ bezeichnet, es sei sehr unwahrscheinlich, dass dieses Problem in erheblichem Umfang zu beobachten sein werde. In größeren Unternehmen würden der Betriebsrat und allgemein das Verbot sittenwidriger Löhne ein solches Verhalten zu unterbinden wissen. Außerdem seien Ausweichreaktionen zu bedenken, bei denen Unternehmen beispielsweise die Arbeitszeit manipulieren und ihren Beschäftigten überteuerte Unterkunftskosten berechnen würden. Dem Vernehmen nach sei dies hierzulande insbesondere bei entsandten ausländischen Arbeitnehmern zu beobachten. Dies zu unterbinden, mache einen erheblichen Kontrollaufwand erforderlich. Die ganz nah liegende gegenteilige Erkenntnis, dass aufstockende Transferleistungen den Markt beeinflussen, erscheint hier regelrecht unterdrückt.

[322] Vgl. zu einem ähnlichen Phänomen im Zusammenhang mit der geringfügigen Beschäftigung oben S. 38ff. Im rechtswissenschaftlichen Schrifttum spielt dieser Zusammenhang bisher keine Rolle. Beispielhaft *Wank*, in: Festschrift für Buchner, 2009, S. 898 (901).

in der Entgeltfrage nicht konzessionsbereit zu sein.[323] Die Zahlen belegen, dass sie aus nachvollziehbaren Gründen am Ende konzessionsbereit sind. Unter dem Strich ist die subventionsbedingte Veränderung der Marktsituation sowohl für den Arbeitnehmer als auch für den Arbeitgeber aufkommensneutral. Der Verlust wird an das Steueraufkommen weitergeschoben, aus dem die verschiedenen Transferleistungen (insbesondere Grundsicherung und Kinderzuschlag gem. § 6a BKGG) resultieren. Besonders hervorzuheben ist nochmals, dass dieser Effekt nicht nur die Gegenwart betrifft, sondern *auch die Zukunft.* Das Problem der Altersversorgung einer zunehmenden Zahl von Menschen, die aufgrund eines die ausreichende Rente nicht einbringenden Arbeitsentgelts später im Ruhestand hilfebedürftig werden, wird den Steuerzahlern der Zukunft aufgebürdet.

c) Verfehlte Abstimmung mit Zivilrecht und Sozialrecht

aa) Mit diesem Befund verbindet sich im Hintergrund aus rechtswissenschaftlicher Perspektive eine grundsätzliche Problematik: Es passt nicht zu unserer freiheitlich ausgerichteten Privatrechtsordnung, auf der auch die Arbeitsrechtsordnung beruht, wenn sozialrechtlich bedingte Leistungen das *Verhandlungsgleichgewicht der Vertragsparteien* in signifikanter Weise schwächen. Hier liegt eine bei der inzwischen vielfältigen Justierung an vor allem sozialrechtlichen Stellschrauben[324] zu wenig beachtete *Verwerfung in der gebotenen Abstimmung von Zivilrecht und Sozialrecht.* Die geltende Rechtskonzeption des Privatrechts und des Sozialrechts sendet gewissermaßen Warnsignale: Der von der Rechtsordnung intendierte Interessenausgleich auf privatautonomer Grundlage ist, mehr noch als im Bereich der geringfügigen Beschäftigung,[325] durch die als Kombilohnmodell wirkende sozialrechtliche Grundsicherung verzerrt. Die Vertragsparteien kalkulieren die Transferleistung bei Vertragsschluss mit Auswirkung auf dem Bruttolohn ein. Das lässt sich mit dem Vertragsprinzip, welches die Grundlage der rechtsgeschäftlichen Ordnung der Arbeitsbeziehungen bildet, nicht in Einklang bringen. Ausgangspunkt unserer Rechtsordnung ist, dass die Einzelnen auf der Grundlage eines geeigneten Rechtsrahmens in der Lage sein müssen, prinzipiell unabhängig von sozialrechtlichen Transferleistungen ihren Lebensbedarf durch Arbeit und deren Ertrag zu decken. Sozialrechtliche subsidiäre Mindestsicherung soll nur zur *Bewältigung von Sondersituationen* eingesetzt, nicht zum Modell an sich werden.

---

[323] Vgl. *Bender u. a.* (Fn. 273), 1 (2 f.).
[324] Instruktiv dazu *Spellbrink* (Fn. 87), S. 163 (166 ff.).
[325] Siehe dazu oben S. 40 und *Richardi*, BB 2009, Heft 37, Die Erste Seite.

Die entstehende Verzerrung der Marktsituation kann durch einen Mindestlohn vermindert werden. Zu Recht wird zum Teil gesagt, Kombilohn und Mindestlohn seien untrennbar miteinander verbunden.[326] Kombilöhne sind in der Tat offenkundige Einladungen zur Senkung der Bruttolöhne. Dabei kommt es nicht darauf an, ob man das Bruttoentgelt steuerfinanziert aufstockt[327] oder Niedriglohnempfänger bei den Sozialversicherungsabgaben entlastet;[328] die Wirkungen der letztgenannten Entlastungen lassen sich an den dargelegten Nachteilen der Abgabenprivilegierung geringfügiger Beschäftigungsverhältnisse[329] ablesen, und diese Wirkungen machen auch die derzeit geplante Heraufsetzung der Hinzuverdienstgrenzen[330] fragwürdig. Rechtlich erforderliche genauso wie politisch gewünschte Bezuschussung aus Steuermitteln bzw. Entlastung bei Abgaben (wie sie derzeit im Grunde alle politischen Parteien auf die eine oder andere Weise favorisieren) setzt, wenn die dargelegten Zusammenhänge stimmen, die *Fixierung einer Lohnuntergrenze* (ohne die Beschränkung auf Branchen) voraus. Der eventuelle Einwand, auch Mindestlöhne hätten mit Markt wenig gemein, verfängt hier nicht. Für sich genommen ist das richtig. Wo aber ein Kombilohn den Markt schon außer Kraft gesetzt hat, kann der Mindestlohn ihn nicht mehr gefährden.

bb) In diesem Zusammenhang fällt noch auf, dass die Arbeitsmarktwirkungen der Grundsicherung und im Zusammenhang damit die Frage der Beeinflussung des Arbeitsanreizes, auch von Wirtschaftswissenschaftlern, im Wesentlichen mit dem Blick auf *sozialrechtliche* Rahmenbedingungen diskutiert werden.[331] Aus dem Blickwinkel der Rechtsordnung gesehen, ist jedoch zunächst das Privatrecht in dem Blick zu nehmen. Nach der geltenden Rechtsordnung hat die Existenzsicherung – wenn man das nicht grundlegend ändern möchte – in erster Linie *auf der Grundlage geeigneter Arbeitsbeziehungen* zu erfolgen.[332] Im Hinblick auf eine zukunftsfähige Entwicklung wäre es höchst bedenklich, wenn die Gesellschaft *dauerhaft* nicht bedarfsdeckende Arbeitsentgelte subventionieren müsste.[333] Es ist in erster Linie Aufgabe des Arbeitsrechts, die Rahmen-

[326] Vgl. *Schäfer* (Fn. 251), S. 25ff.; *Thüsing*, RdA 2008, 315 (316); *dens.*, BRJ 2009, 35 (38).

[327] So das Regierungsprogramm von CDU/CSU für 2009–2013, S. 29, welches ein „Mindesteinkommen" vorsieht.

[328] So die „Bremer Erklärung" der SPD von 2007, S. 4f., und das Bundestagswahlprogramm 2009 von Bündnis 90/Die Grünen, S. 36f.

[329] Siehe oben S. 40.

[330] Siehe schon oben S. 32.

[331] Siehe z.B. *Dietz/Walwei* (Fn. 273), 32ff.; *Bender u. a.* (Fn. 273), 1 (5).

[332] Siehe näher unten S. 104ff.

[333] Vgl. *Spellbrink* (Fn. 87), S. 163ff.

bedingungen für die eigenverantwortliche und nachhaltige Existenzsicherung zu schaffen. Zu fragen ist, ob nicht gerade das bisherige, auf Privatautonomie, Tarifautonomie und Vorsorge durch Versicherung mit Begründung von Anwartschaften und Ansprüchen beruhende Modell der Arbeitsbeziehungen und der sozialen Sicherheit die Konkurrenzfähigkeit im globalen Wettbewerb mit gewährleisten könnte. Ein allgemeiner Mindestlohn könnte auf individualarbeitsrechtlicher Ebene das entstandene *Funktionsdefizit der Tarifautonomie* ausgleichen. Würde die Tarifautonomie einwandfrei funktionieren, wären gesetzliche Mindestlöhne nicht nötig und kein Thema. Die Diskussion negativer Beschäftigungswirkungen des Arbeitsrechts würde sich auf die Tarifautonomie zurückverlagern. Im Grunde geht es bei der Diskussion um gesetzliche Mindestlöhne um eine Diskussion, die so alt ist wie das Arbeitsrecht selbst. Sie wird nur an einer neuen Stelle geführt.

cc) In sozialrechtlicher Hinsicht ist zu bedenken: Die (die Existenzsicherung auf privatautonomer Grundlage bei Eintritt der versicherten Risiken sozusagen fortsetzende) Sozialversicherung bietet, auch wenn sie auf einer Umlagefinanzierung beruht, eine vergleichsweise hohe Gewähr dafür, dass Lasten nicht einfach in die Zukunft weitergeschoben werden. So ist es der Versicherung zuzuschreiben, dass wir seit Jahren die Zukunftsprobleme der gesetzlichen Rentenversicherung in einer alternden Gesellschaft diskutieren und bereits vielfältige Schritte zur Anpassung unternommen haben. Die Frage der zukünftigen Finanzierung der steuerfinanzierten Beamtenpensionen in derselben alternden Gesellschaft und bei derselben Staatsverschuldung findet dagegen verhältnismäßig weniger Aufmerksamkeit. In keinem Bereich hat man sich so konsequent auf den demographischen Wandel vorbereitet wie im Bereich der gesetzlichen Rentenversicherung. Alle Versicherung, gleichgültig ob öffentlich-rechtlich oder privatrechtlich verfasst, kapitalgedeckt oder umlagefinanziert, denkt in die Zukunft. Steuerlasten dagegen werden in die Zukunft weitergeschoben.

dd) Im Spannungsfeld von Privatrecht und Sozialrecht schließlich gewinnt folgender Gesichtspunkt zunehmend an Bedeutung: Der Raum zwischen dem den Familien mit Kindern (aus denen die nächsten Generationen kommen) verfassungsrechtlich zwingend zu gewährleistenden Existenzminimum[334] und dem Ertrag der Arbeit in einem wachsenden Niedriglohnsektor ist mehr als eng. In nicht wenigen Fällen liegt der Ertrag der Arbeit mehr oder weniger deutlich unterhalb des Existenzminimums der Familien. Das Grundgesetz verpflichtet gem. Art. 1 i.V.m. 20 I GG den Staat, durch Sozialleis-

[334] Dazu jüngst BVerfG 9. 2. 2010 – 1BvL 1/09 u.a. – NJW 2010, 505ff.

tung die Mindestvoraussetzungen für ein menschenwürdiges Dasein zu sichern.

d) Mindestlohn und Arbeitslosigkeit

Das hauptsächliche und sehr verbreitete Argument gegen Mindestlöhne lautet, Mindestlöhne seien Gift für den Arbeitsmarkt. Die öffentlichkeitswirksame Bedeutung dieses Arguments könnte sich im Angesicht einer im Gefolge der Finanzmarktkrise gestiegenen Arbeitslosigkeit verstärken. In den europäischen Ländern, in denen Mindestlöhne existieren, sind vor dem Hintergrund der Finanzmarktkrise und ihrer Auswirkungen turnusmäßige Erhöhungen zuletzt moderat ausgefallen oder ausgesetzt worden.

aa) Es ist nicht Sache der Rechtswissenschaft, zu den *wirtschaftswissenschaftlichen Untersuchungen* der Frage Stellung zu beziehen. Ökonomen gelangen in Bezug auf Mindestlöhne überwiegend zu einer negativen Einschätzung.[335] Offensichtlich sind Mindestlöhne dabei aber auch für Ökonomen ein sehr politisches Thema. Wer die wirtschaftswissenschaftlichen Untersuchungen liest, kann den Eindruck nicht ganz zerstreuen, dass wirtschaftspolitische Grundeinstellungen zumindest die Bewertungen der Studien mitbestimmen. Hinzu kommt, dass in der Wirtschaftswissenschaft streitige Grundannahmen bei den Untersuchungen der Beschäftigungseffekte von Mindestlöhnen die Basis des Vorgehens bilden. Die Ergebnisse der vorliegenden Untersuchungen sind vielfältig. Sie reichen von der Annahme massiver Beschäftigungsverluste bis hin zu der Annahme positiver Beschäftigungseffekte. Um eine sozusagen „unabänderliche" ökonomische Rahmenbedingung geht es bei der Verknüpfung von Mindestlohn und Arbeitslosigkeit bei allem offenbar nicht.

Betrachtet man nur diejenigen Untersuchungen, die zu der Annahme negativer Beschäftigungswirkungen gelangen, sind die doch beträchtlichen Unterschiede in den Zahlen festzuhalten. So kommt bei Annahme eines Mindestlohns von 7,50 € das Institut für Wirtschaftsforschung (ifo) zur Annahme eines Verlusts von 1,1 Mio. Arbeitsplätzen.[336] Zu einem ähnlichen Ergebnis (knapp eine Mio. Arbeitsplätze in West- und mehr als 220000 in Ostdeutschland) kommt eine Untersuchung des Rheinisch-Westfälischen Instituts für Wirtschaftsforschung (RWI).[337] Bei beiden Untersuchungen ist aus der Laienperspektive interessant, dass im Ausgangspunkt von einer unbeeinflussten Marktsituation am Arbeitsmarkt ausgegangen wird, die dargelegten und hier für relevant erachteten Einflüsse der steuerfinanzierten Transferleistungen auf die

[335] Anschaulich zusammenfassend aus neuerer Zeit der *Sachverständigenrat* (Fn. 2), S. 334ff. (mit abweichender Meinung des Mitglieds *Rürup*, S. 337ff.); *Thüsing* (Fn. 282), Einl. Rn. 61ff., jeweils m. Nachw.

[336] Vgl. *Ragnitz/Thum*, ifo Schnelldienst 1/2008, 16 (18f.).

[337] *Bachmann u. a.*, Mindestlöhne in Deutschland, Beschäftigungswirkungen und fiskalische Effekte, RWI: Materialien, Heft 43, 2008, insbes. S. 53.

Marktsituation im Niedriglohnbereich[338] also keine Rolle spielen. Das Deutsche Institut für Wirtschaftsforschung (DIW) prognostiziert bei einem Mindestlohn von 7,50 € einen Wegfall von 260000 Arbeitsplätzen.[339] Eine an der Freien Universität Berlin vorgelegte Untersuchung kommt für den Fall der Einführung eines gesetzlichen Mindestlohns von 7,50 € je Stunde zu einem Verlust von 840000 Arbeitsplätzen im Niedriglohnbereich.[340] Wie sehr die wirtschaftswissenschaftliche Beurteilung von Mindestlöhnen bei Nichtökonomen am Ende doch Fragen zurück lassen muss, verdeutlicht auch die abweichende Meinung des Sachverständen *Rürup* im Jahresgutachten 2008/2009 des Sachverständigenrates zur Begutachtung der gesamtwirtschaftlichen Entwicklung.[341]

Unter dem Strich gibt die Vielfalt der Befunde jedem das Erwartete. Meines Erachtens ist auf der Grundlage der bisher vorgelegten Untersuchungen eher zu bezweifeln, dass negative Arbeitsmarktwirkungen ein Maß erreichen könnten, welches Mindestlöhne (die in manchen Bereichen, im Bausektor[342] seit längerem, verwirklicht sind) ungeeignet erscheinen lässt. Die Erfahrungen mit Mindestlöhnen im Ausland lassen sich gewiss nicht einfach übertragen und zu tragfähigen Schlussfolgerungen verdichten. Eindeutige Warnzeichen kann man den Verhältnissen in anderen Ländern aber jedenfalls nicht entnehmen. Es ließen sich im Übrigen die vor allem im Dienstleistungsbereich angesiedelten Niedriglohnarbeitsplätze unterhalb von 7,50 € in der Stunde (also 1300 € im Monat, später dann rund 620 € Rentenleistung im Monat nach heutigen Werten bei 45 Versicherungsjahren und einer 40-Stunden-Woche, dies gegenüber derzeit 676 € Grundsicherung im Monat)[343] nicht einfach streichen oder durch Maschinen ersetzen oder ins Ausland verlagern.[344] Eher könnte es in Wirklichkeit darum gehen, die *wahren Kosten benötigter und in Anspruch genommener Arbeit,* statt diese in das zur Aufstockung verpflichtete Steueraufkommen zu verlagern, unter Marktgesichtspunkten in der Gesellschaft abzubilden (worin im Übrigen ein außerhalb des Sozialrechts angesiedelter, sozusagen natürlicher, Umverteilungsmechanismus von oben nach unten liegt).

bb) Aus dem Blickwinkel der Rechtswissenschaft betrachtet hat aber ohnehin wesentliche Bedeutung, dass eventuelle (derzeit unsi-

---

338 Siehe oben S. 88f. mit Fn. 321.

339 *Müller/Steiner*, DIW Wochenbericht 2008, 418–423.

340 *Knabe/Schöb*, Minimum Wage Incidence: The Case for Germany, Freie Universität Berlin, CESIFO Working Paper No. 2432, 2008.

341 *Sachverständigenrat* (Fn. 2), S. 337–343.

342 Vgl. dazu die Studie von *König/Möller*, IAB-Discussion Paper 30/2007, nach der der Mindestlohn im Baugewerbe in Ostdeutschland negative Beschäftigungseffekte hervorruft, in Westdeutschland jedoch neutrale bzw. leicht positive Wirkungen zeitigt.

343 Siehe oben S. 11.

344 Anders etwa *Börsch-Supan*, FAZ v. 19. 1. 2008, S. 11, der gerade deshalb Mindestlöhne als „hochgradig naiv“ bezeichnet und für ein steuerfinanziertes Mindesteinkommen plädiert.

cher erscheinende) negative Arbeitsmarktwirkungen von Mindestlöhnen *einen Aspekt der Problematik neben einer ganzen Reihe von weiteren Aspekten* abgeben[345] und nicht das ganze Thema ausmachen: Es geht, wie dargelegt wurde, über eventuelle Arbeitsmarktwirkungen hinaus darum, ob nicht Mindestlöhne vor dem Hintergrund des geltenden Rechts ratsam oder sogar notwendig sind, (1) um ein in Deutschland entstandenes *Funktionsdefizit der Tarifautonomie* aufzuwiegen, (2) um einem durch verschiedene rechtlich vorgegebene Transferleistungen (nicht nur Grundsicherungsleistungen, sondern auch Kinderzuschläge gem. § 6a BKGG, Wohngeldleistungen) bedingten *gestörten Marktmechanismus* am Arbeitsmarkt im Niedriglohnbereich etwas entgegenzusetzen, (3) um das Notwendige in der Gewissheit zu gestalten, dass benötigte und ordnungsgemäß erbrachte Arbeit eine ordnungsgemäße und also *mehr als* eine lediglich nicht sittenwidrige Bezahlung gebietet (wozu „der gerechte Lohn" nicht gesucht werden muss); schließlich und im Hinblick vor allem auf die Zukunft wesentlich: (4) um einem in der Zukunft, wie längst absehbar ist, *zu Lasten der Jüngeren wegen nicht existenzsichernder Entgelte ansteigenden Grundsicherungsbedarf,* der aus dem zukünftigen Steueraufkommen zu bestreiten wäre, auf der Grundlage des geltenden Rechtsrahmens von Privatrecht und Sozialrecht in verantwortungsbewusster Weise entgegenzuwirken. Am Ende könnte ein allgemeiner gesetzlicher Mindestlohn (5) auch einen sich (nach dem 1. Mai 2011) verstärkenden Druck durch Arbeitsmigration abmildern.

5. *Empfehlungen*

Aus dem Dargelegten folgt die Empfehlung, einen allgemeinen gesetzlichen Mindestlohn einzuführen, wie es in 20 von 27 Mitgliedstaaten der EU und u.a. in den USA bereits (zum Teil vor vielen Jahren) geschehen ist.

a) Mindestlöhne im Ausland, insbesondere in Europa

In den Vereinigten Staaten von Amerika haben Mindestlöhne eine lange Tradition. Das im Jahr 1938 auf Bundesebene geschaffene Mindestlohngesetz (Fair Labor Standards Act)[346] sieht eine Lohnuntergrenze vor, die nach der letzten Anpassung durch den Kongress

---

[345] Treffend *Schunder*, ZRP 2007, 169.

[346] Pub.L. 75–718, 52 Stat. 1060, 29 U.S.C. ch. 8. Vgl. *Nordlund*, Labor Law Journal 1988, 715 ff. Siehe auch US-Arbeitsministerium www.dol.gov/esa/chd/flsa/.

derzeit (seit Mitte Juli 2009) bei 7,25 $ liegt. Der Mindestlohn wird durch den Earned Income Tax Credit (EITC), einen staatlichen Zuschuss, ergänzt.[347] In Europa sind Mindestlöhne weit verbreitet. In der Europäischen Union kennen 20 der 27 Mitgliedstaaten gesetzliche Mindestlöhne.[348] Keinen allgemeinen gesetzlichen Mindestlohn gibt es abgesehen von Deutschland in Dänemark, Finnland, Italien, Österreich, Zypern und Schweden. Bei der Bewertung ist zu berücksichtigen, dass die Tarifbindung in Österreich und in Italien aber bei nahezu 100% liegt, in Dänemark, Finnland und Schweden bei etwa 90%.[349] Dabei gelten insbesondere in Finnland und Italien tarifvertragliche Mindestlohnregelungen für alle Arbeitgeber bzw. Arbeitnehmer unabhängig von der Tarifbindung. In den Niederlanden wurde ein gesetzlicher Mindestlohn 1969, in Frankreich 1970 eingeführt. In Großbritannien gibt es gesetzliche Mindestlöhne seit 1999. Sie wurden dort auch unter dem Gesichtspunkt eingeführt, der Ausfallbürgschaft der Allgemeinheit für niedrige Entgelte zu entkommen.[350] Für den Rechtsvergleich (der hier nicht zu vertiefen ist) und für das Studium der Auswirkungen von Mindestlöhnen eignen sich vor allem die gesetzlichen Regelungen in den Niederlanden, in Frankreich und in Großbritannien, ferner die Bestimmungen in Belgien und Irland. In diesen Ländern ist das Preisniveau mit Deutschland vergleichbar, und die Mindestlöhne liegen oberhalb von 1000 €. In allen drei Rechtsordnungen gibt es Verfahren zur regelmäßigen Anpassung der Mindestlöhne, in welche die Sozialpartner eingebunden sind. In der Höhe liegen die gesetzlichen Mindestlöhne derzeit in den Niederlanden im Monat bei 1382 €, in Frankreich bei 1321 € und in Großbritannien bei 1010 € (914 £).[351] Aus praktischen Gründen empfiehlt sich nicht, Monatslöhne festzulegen, Mindestlöhne sollten aufgrund der im Ausland gewonnen Erfahrungen als Stundenlöhne gestaltet sein.

---

[347] Siehe dazu näher *Schäfer,* Die soziale Grundsicherung in Deutschland 2008, S. 27ff.

[348] Instruktiver Überblick bei *Thüsing* (Fn. 282), Einl. Rn 55ff., mit Nachw. Siehe ferner z.B. *Burgess/Usher*, Allgemeinverbindlichkeit und Mindestlohnregelungen in Mitgliedstaaten der EU, Ministerium für Wirtschaft und Arbeit des Landes Nordrhein-Westfalen (MWA), 2003; *Funk/Lesch* (Fn. 281), 83ff.; *Schulten*, WS I-Mitteilungen 2009, 50ff. Ausführlich *Schulten/Bispinck/Schäfer* (Hrsg.) (Fn. 281).

[349] Vgl. *Venn*, Legislation, Collective bargaining and enforcement: Updating the OECD employment protection indicators, 2009, S. 16ff.

[350] Vgl. Commission for Social Justice (Hrsg.), Social Justice: Strategies for National Renewal, 1994, S. 201.

[351] Siehe Eurostat (Hrsg.), Data in focus 29/2009, Minimum wages in January 2009. Der gesetzliche Stundenlohn beträgt in Großbritannien ab Oktober 2009 5,80 £ für Arbeitnehmer ab 22 Jahren, siehe HM Revenue & Customs, www.hmrc.gov.uk/nmw/.

b) Verfassungsrecht

Bei der Frage, ob ein staatlich festgesetzter flächendeckender Mindestlohn verfassungsgemäß wäre, liegt das Hauptaugenmerk auf Art. 9 III GG und der gem. Art. 12 I GG geschützten Berufsausübungsfreiheit des Arbeitgebers. Die Frage der Verfassungsmäßigkeit allgemeiner flächendeckender Mindestlöhne ist dabei alles in allem weniger problematisch als bei der geltenden Konzeption branchenbezogener Mindestlöhne nach Maßgabe des MiArbG und des AEntG. So stellt sich etwa die Frage nach der Gleichbehandlung (Art. 3 I GG) nicht bei einem branchenübergreifenden und nicht nach Art der Tätigkeit, Qualifikation der Arbeitnehmer und Region differenzierendem Mindestlohn, wie ihn § 4 IV 2 MiArbG und § 5 Nr. 1 AEntG vorsehen.[352] Die Konkurrenzsituation zwischen der Tarifautonomie und der Gestaltungsaufgabe des staatlichen Gesetzgebers ist weniger komplex gelagert.

aa) Im Einzelnen stellt die gesetzliche Festsetzung einer Lohnuntergrenze einen *Eingriff* in die durch Art. 9 III GG gewährleistete Tarifautonomie dar.[353] Die Lohnfindung ist originärer Bestandteil des tariflichen Vereinbarungskanons. Eine Grenzziehung nach unten durch den staatlichen Gesetzgeber verringert den Bereich, in dem die Tarifvertragsparteien regelnd tätig werden können. Der Eingriff in die Koalitionsfreiheit ist aber der Rechtfertigung zugänglich, wenn er zum Schutz der Grundrechte Dritter oder anderer mit Verfassungsrang ausgestatteter Belange geschieht und verhältnismäßig ist.[354] Dem Gesetzgeber ist nicht von vornherein eine eigene Regelung verwehrt. Den Koalitionen kommt eine *Regelungsprärogative* für alle Fragen zu, die die „Wahrung und Förderung der Arbeits- und Wirtschaftsbedingungen" zum Gegenstand haben; ein den Gesetzgeber ausschließendes Regelungsmonopol haben sie jedoch nicht.[355] Auch dem Gesetzgeber ist durch Art. 74 I Nr. 12 GG die Aufgabe der Gestaltung des Arbeitsrechts zugewiesen. Die Anforderungen an eine Rechtfertigung nehmen dabei allerdings in dem Maß zu, in dem der Gesetzgeber auf Bereiche

---

[352] Kritisch insoweit *Thüsing*, ZfA 2008, 590 (610).

[353] Vgl. *Thüsing*, ZfA 2008, 590 (602); Wiedemann/*Wiedemann* (Fn. 191), Einleitung Rn. 104. Anders *Engels*, JZ 2008, 490 (493ff., 495ff.), der von einer Grundrechtsausgestaltung ausgeht.

[354] Vgl. nur *BVerfG* 26. 6. 1991 – 1 BvR 779/85 – NZA 1991, 809ff.; *BVerfG* 24. 4. 1996 – 1 BvR 712/86 – NZA 1996, 1157 (1158). Ob darüber hinaus eine gesetzliche Regelungsbefugnis zum Schutz sonstiger Rechtsgüter besteht, hat das BVerfG offen gelassen. Vor der Abkehr von der Kernbereichslehre ging das BVerfG, 24. 5. 1977 – 2 BvL 11/74 – BVerfGE 44, 322 (342), von der Regelungszuständigkeit des Gesetzgebers aus, „wenn die Koalitionen die ihnen übertragene Aufgabe, das Arbeitsleben durch Tarifverträge sinnvoll zu ordnen, im Einzelfall nicht allein erfüllen können und die soziale Schutzbedürftigkeit einzelner Arbeitnehmer oder Arbeitnehmergruppen *oder ein sonstiges öffentliches Interesse* ein Eingreifen des Staates erforderlich macht." (Hervorhebung durch *Verf.*).

[355] *BVerfG* 24. 4. 1996 – 1 BvR 712/86 – BVerfGE 94, 268 (283f.); ErfK/*Dieterich* (Fn. 70), Art. 9 GG Rn. 82; *Löwisch/Rieble* (Fn. 201), Grundl. Rn. 26; Wiedemann/*Wiedemann* (Fn. 191), Einleitung Rn. 132.

zugreift, die „aus Sachgründen am besten von den Tarifvertragsparteien geregelt werden" können.[356] Dabei genießt die Lohnfestsetzung als „Wurzel der Tarifautonomie" den größtmöglichen Schutz.[357]

bb) Ein allgemeiner Mindestlohn verfolgt einen *legitimen Zweck:* Nach Auffassung des BVerfG schützt Art. 12 I GG auch das Interesse des Arbeitnehmers an zumutbaren Arbeitsbedingungen.[358] Dazu zählt auch das Arbeitsentgelt. Darüber hinaus wird auf die Menschenwürdegarantie des Art. 1 I GG iVm dem Sozialstaatsprinzip gem. Art. 20 I GG hingewiesen, wobei aber daraus nur die Gewährleistung von Mindestvoraussetzungen für ein menschenwürdiges Dasein abgeleitet werden könnte. Ein wichtiges Allgemeinwohlziel liegt in dem Belang der Einsparung öffentlicher Mittel durch Entlastung der bei niedrigen Löhnen verstärkt in Anspruch genommenen Systeme der sozialen Sicherheit.[359] Dabei ist die Auswirkung des Phänomens neben zunehmend diskontinuierlichen Erwerbsverläufen bei geringerem Ertrag der gesetzlichen Rentenversicherung in einer alternden Gesellschaft mit älter werdenden Menschen zu bedenken. Jedenfalls nach der Einführung der „Schuldenbremse" in das GG[360] wird man der Sparsamkeit der öffentlichen Hand die Verfassungsrelevanz schwerlich absprechen können. Des Weiteren führt die Aufstockung von Niedriglöhnen durch staatliche Geldtransfers, wie dargelegt,[361] zu Marktverwerfungen, deren Verhinderung oder Begrenzung der Gesetzgeber anstreben darf.

cc) Hinsichtlich der *Geeignetheit* steht dem Gesetzgeber ein weiter Gestaltungsspielraum zu. Die Eignung kann nicht mit der Überlegung verneint werden, die Einführung von Mindestlöhnen könne dem Schutz der *Arbeitnehmerschaft insgesamt* zuwiderlaufen, da Mindestlöhne einen negativen Einfluss auf die Gesamtbeschäftigung haben könnten.[362] Mit diesem Argument ließe sich die Geeignetheit jeder denkbaren Arbeitnehmerschutzvorschrift leugnen, die mit zusätzlichen Kosten für Arbeitgeber verbunden ist, sofern man von negativen Beschäftigungswirkungen des Arbeitsrechts ausgeht. Gerade für derartige Fälle besteht der gesetzgeberische Beurteilungs- und Gestaltungsspielraum. Gegen das Ziel der Schonung der öffentlichen Hand würde das Argument ohnehin nicht durchgreifen.

dd) Im Hinblick auf die *Erforderlichkeit* kommt ein *tarifdispositiv gestalteter Mindestlohn* als weniger einschneidende Maßnahme in Betracht.[363] Tarifdispositivität ist bei einem allgemeinen gesetzlichen Mindestlohn aber ohnehin weitestgehend gewährleistet, weil ein gesetzlich gestalteter und zwingender allgemeiner Mindestlohn nur die tarifvertragliche Gestaltung *nach unten* verwehrt; unzweifelhaft gehen *günstigere tarifvertragliche Gestaltungen* dem gesetzlichen Mindestlohn vor. Es bleibt insoweit

---

356 *BVerfG* 24. 4. 1996 – 1 BvR 712/86 – NZA 1996, 1157 (1158).

357 Vgl. *BVerfG* 24. 4. 1996 – 1 BvR 712/86 – NZA 1996, 1157 (1158); *BVerfG* 27. 4. 1999 – 1 BvR 2203/93 u. a. – NZA 1999, 992 (993).

358 *BVerfG* 29. 12. 2004 – 1 BvR 2582/03 – NZA 2005, 153 (154); *BVerfG* 23. 11. 2006 – 1 BvR 1909/06 – NZA 2007, 85 (87). Zustimmend *Thüsing*, ZfA 2008, 590 (604). A.A. *Lembke*, BB 2005, 499 f.

359 Vgl. dazu etwa *BVerfG* 8. 12. 1982 – 2 BvL 12/79 – BVerfGE 62, 354 (372); *BVerfG* 10. 5. 1983 – 1 BvR 820/79 – BVerfGE 64, 87 (106); *BVerfG* 3. 4. 2001 – 1 BvL 32/97 – NZA 2001, 777 (779), mit Tendenz zum „verfassungsrechtlich legitimierten Gemeinwohlbelang". *BVerfG* 20. 3. 2009 – 1 BvR 1047/05 – NZA 2007, 609 (611), geht von einem „Gemeinwohlbelang von hoher Bedeutung" aus. Siehe auch die Einschätzung der Bundesregierung in BR-Drs. 541/08, S. 11, 542/08, S. 17.

360 Art. 109 III GG n. F. Vgl. dazu etwa *Lenz/Burgbacher*, NJW 2009, 2561 ff.

361 Siehe oben S. 88 ff.

362 Anders insoweit *Thüsing*, ZfA 2008, 590 (605 ff.).

363 Siehe stellvertretend *Bieback/Kocher*, in: Bieback u. a. (Hrsg.), Tarifgestützte Mindestlöhne, 2007, S. 62 f.; *Thüsing*, ZfA 2008, 590 (608).

bei der von jeher bestehenden Aufgabenteilung zwischen staatlichem Gesetzgeber und Tarifautonomie: Das Gesetz soll das Notwendige an sozialer Absicherung verbürgen, während die kollektiven Vereinbarungen das Angemessene sichern.[364] Insbesondere im Hinblick auf das verfolgte Ziel, die bei niedrigen Löhnen verstärkt in Anspruch genommenen Systeme der sozialen Sicherheit zu entlasten, erscheint die Erforderlichkeit zur Erreichung des Ziels nicht zweifelhaft.[365] Dass zum Schutz der genannten Gemeinwohlbelange Alternativen von gleicher Wirksamkeit und dabei geringeren Belastungen und Nebenwirkungen zur Verfügung stehen würden, ist nicht ersichtlich.[366] Die Festsetzung eines allgemeinen Mindestlohns würde man insoweit bei Respektierung des Einschätzungsfreiraums des Gesetzgebers nicht als fehlsam bezeichnen können. Aus Art. 9 III GG folgt allerdings, dass Arbeitgeberverbände und Gewerkschaften an der Festsetzung der Mindestlöhne zu beteiligen sind.[367] Ihnen ist insoweit zumindest eine Anhörungs- oder Beratungsmöglichkeit einzuräumen.

ee) Was die *Angemessenheit* betrifft, bleibt *zugunsten* des Arbeitnehmers eine Abweichung weiterhin möglich; es handelt sich also um einseitig zwingendes Gesetzesrecht, welches ohnehin nur den untersten Entgeltbereich betrifft. Die Tarifvertragsparteien werden damit nicht aus ihrem ureigenen Aufgabenbereich, der Entgeltbestimmung, verdrängt. Eine „angehobene Verhandlungsbasis" durch die allgemeine staatliche Festsetzung von Mindestarbeitsbedingungen ist keine Seltenheit. So zieht etwa das ArbZG Höchstgrenzen hinsichtlich der Arbeitszeit. Diese sind zwar vielfältiger tarifvertraglicher Modifizierung zugänglich,[368] gewähren aber gleichwohl einen Mindestschutz; die Arbeitszeit ist tarifoffen geregelt, aber nicht vollständig tarifdispositiv. § 3 I BUrlG gewährleistet einen – tariffesten, vgl. § 13 I 1 BUrlG – 24-tägigen Mindesturlaub. Auch die Entgeltfortzahlung im Krankheitsfall steht als solche nicht zur Disposition der Tarifvertragsparteien. Gerade die Bereiche der Arbeits- und Urlaubszeit als wichtige Aspekte der „anderen materiellen Arbeitsbedingungen" hebt das BVerfG[369] neben dem Bereich der Lohnfestsetzung als Materien hervor, bei denen die Tarifvertragsparteien „die gegenseitigen Interessen angemessener zum Ausgleich bringen können als der Staat". In diesen Bereichen ist die „Wirkkraft des Grundrechts" besonders hoch; ein Eingriff kann nur durch „schwerwiegende Gründe" gerechtfertigt werden. Die Verfassungswidrigkeit gesetzlicher Mindestbedingungen bei Arbeits- und Urlaubszeit folgert das BVerfG daraus zu Recht nicht, obwohl nicht wenige der gesetzlich gestalteten Materien zugleich Auswirkungen auf den Wert von Leistung und Gegenleistung im Arbeitsverhältnis haben. Es bedürfte somit gewichtiger Argumente, weshalb die Festsetzung von Mindestarbeitsbedingungen in diesen tarifautonomen Kernbereichen verfassungskonform, beim Arbeitsentgelt aber verfas-

---

364 Vgl. *Wiedemann* (Fn. 192), S. 21.

365 Vgl. Jarass/Pieroth/*Jarass*, GG, 10. Aufl., 2009, Art. 20 Rn. 85. Nach Auffassung des BVerfG, 6. 10. 1987 – 1 BvR 1086/82 – BVerfGE 77, 84 (110 f.), kann „[d]er einzelne Grundrechtsträger [...] im Blick auf seine Gemeinschaftsbezogenheit und Gemeinschaftsgebundenheit nicht erwarten, daß zur Vermeidung grundrechtsbeschränkender Maßnahmen mit dem Ziel der Bewältigung sozialer Mißstände die nur begrenzt verfügbaren öffentlichen Mittel über das vernünftigerweise von der Gesellschaft erwartbare Maß hinaus zur Bekämpfung von Mißständen verwendet werden".

366 Anders *Sittard*, Voraussetzungen und Wirkungen der Tarifnormerstreckung nach § 5 TVG und dem AEntG, 2010, S. 467 f., der in „funktionierenden Tariflandschaften" eine Tarifnormerstreckung nicht als gleich geeignet ansieht.

367 Ebenso z. B. *Bieback*, RdA 2000, 207 (211).

368 Vgl. nur die feinsinnigen Abweichungsmöglichkeiten gem. § 7 ArbZG.

369 *BVerfG* 24. 4. 1996 – 1 BvR 712/86 – NZA 1996, 1157 (1158).

sungswidrig sein sollte.[370] Unter dem Strich stehen die Vorteile für die Gesellschaft allgemein und die Nachteile für die Gestaltungsfreiheiten von Gewerkschaften und Arbeitgebern in einem angemessenen Verhältnis.

ff) Bei der Einführung eines allgemeinen gesetzlichen Mindestlohns sollte die *Kollision mit bereits bestehenden Tarifregelungen* beachtet werden, deren Mindestentgelte unterhalb der gesetzlichen Vorgabe liegen. Würde ein solcher Tarifvertrag durch die Einführung eines gesetzlichen Mindestlohns teilweise verdrängt, bliebe zugleich aber der restliche Teil des Vertrags bestehen, könnte das Gesamtgefüge des erzielten Kompromisses aus dem Gleichgewicht geraten.[371] Dieses Problem kann aber durch die Festsetzung von Übergangsregeln vermieden, zumindest verfassungskonform abgemildert werden.

Im *Ergebnis* lässt sich festhalten, dass die flächendeckende Einführung von Mindestlöhnen grundsätzlich nicht im Widerspruch zur Tarifautonomie steht.[372] Denkbare Eingriffe in die Berufsfreiheit (Art. 12 I GG) und die allgemeine Vertragsfreiheit (Art. 2 I GG) wären ebenso aus den dargelegten Gründen gerechtfertigt.

c) Ausgestaltung

aa) Die Höhe eines allgemeinen gesetzlichen Mindestlohns festzulegen, ist Aufgabe der Politik und von einer Vielzahl von Gesichtspunkten abhängig. Aus rechtswissenschaftlicher Perspektive kann vor dem Hintergrund des Dargelegten das Nachfolgende beigetragen werden:

(1) Ein allgemeiner gesetzlicher Mindestlohn müsste so hoch ausfallen, dass er Wirkung hat; der Arbeitnehmer soll bei Vollzeiterwerbstätigkeit in der Lage sein, seinen Lebensunterhalt (auch mit Blick auf Rentenanwartschaften für das Alter) weitestgehend ohne Rückgriff auf finanzielle Hilfe des Staates selbständig bestreiten zu können. Andererseits dürfte der Mindestlohn nicht so hoch sein, dass er sich in die auf Privatautonomie und Tarifautonomie gegründete Arbeitsrechtsordnung nicht einfügt. Ein bei rund 7,50 € angesiedelter allgemeiner gesetzlicher Mindestlohn als Antwort auf das entstandene Funktionsdefizit des Tarifvertrags könnte zur Sicherung der Untergrenze den Ausgangspunkt der Überlegungen bilden. Aus rechtswissenschaftlicher Perspektive sollte das Gesetz das Notwendige an sozialer Sicherheit verbürgen, während die kollektiven Vereinbarungen das Angemessene sichern.[373]

---

370 Ähnlich *Bayreuther*, NJW 2007, 2022 (2025). Für die Verfassungswidrigkeit der zwingenden Entgeltfortzahlung im Krankheitsfall i. H. v. 100% aber *Löwisch/Rieble* (Fn. 201), Grundl. Rn. 33.

371 Vgl. *Thüsing*, ZfA 2008, 590 (611 ff.), zu § 8 II MiArbG.

372 Im Ergebnis ebenso *Bayreuther*, NJW 2007, 2022 (2024 f.); *Bieback*, RdA 2000, 207 (211); *Engels*, JZ 2008, 490 (494); Däubler/*Lakies*, TVG, 2. Aufl., 2006, Anhang 1 zu § 5 Rn. 21, 23 b; *Rieble/Klebeck*, ZIP 2006, 829 (836), zumindest für einen Lohn bis zu 7 €. A. A. *Fischer*, ZRP 2007, 20 (22), *Sittard* (Fn. 366), S. 470 f.

373 So treffend bereits *Wiedemann* (Fn. 192), S. 21.

Im Einzelnen würden mit einem bei etwa 7,50 € festgelegten allgemeinen gesetzlichen Mindestlohn die mit der Kombilohnwirkung aufstockender Transferleistungen verbundenen Marktverwerfungen teilweise aufgefangen. Allerdings würde erst ein Stundenlohn von 8,20 € unter den eingangs dargelegten Bedingungen (namentlich 45 Versicherungsjahre, 40-Stunden-Woche)[374] eine Rente in Höhe der derzeitigen Grundsicherung einbringen. Bei der Ansiedlung eines allgemeinen gesetzlichen Mindestlohns wäre andererseits aber auch zu berücksichtigen, dass die Rechtsordnung davon ausgeht, dass die Einzelnen vor dem Hintergrund eines Chancen gewährenden Rechts ihrerseits (unterstützt durch Hilfe zur Selbsthilfe) Anstrengungen unternehmen, um über einen gesetzlichen Mindestlohn hinauszukommen und im Verlauf ihres Arbeitslebens (soweit das in den sich verändernden Bedingungen realistisch bleiben sollte, wovon hier gedanklich auszugehen ist) eine am Ende über der Grundsicherung liegende Alterssicherung zu erarbeiten.

(2) Auch bei einem allgemeinen gesetzlichen Mindestlohn von 7,50 € bleiben die Anreizwirkungen für eine Arbeitsaufnahme natürlich dort begrenzt, wo in Abhängigkeit vom Haushaltskontext ein wesentlich höheres Bruttoeinkommen nötig wäre, um mit Arbeitsverdienst die Transferleistungen zu überbieten. Dieses Dilemma wird sich, wenn die gesetzliche Festlegung eines arbeitsrechtlichen Mindestlohns den Grundsätzen der Rechtsordnung folgen soll, *auf der Ebene der staatlichen Lohnregulierung* jedoch nicht beheben lassen.

Im Hinblick auf die Vereinbarkeit mit der geltenden Rechtsordnung sind auf der Seite des Sozialrechts andererseits die Anreizwirkungen von Hinzuverdienstregelungen (§§ 11, 30 SGB II) auf den Prüfstand zu stellen. Es erscheint aus den dargelegten Gründen prinzipiell prüfungsbedürftig, ob Anrechnungsfreiheit oder Abgabenprivilegierung (auch auf der Arbeitnehmerseite wie in der Gleitzone gem. § 20 II SGB IV) oder Kombilohngestaltungen zielführend sind. Will man, wie im Koalitionsvertrag der Bundesregierung mit Recht vorgesehen ist,[375] den „Weg in den Verschuldungsstaat" stoppen in der Erkenntnis, dass „einem überschuldeten Staat (...) am Ende immer das Geld für die Schwachen in dieser Gesellschaft fehlen (wird)", und begreift man, wie es an derselben Stelle überzeugend heißt, die Sicherung der Tragfähigkeit der öffentlichen Finanzen vor dem Hintergrund der demographischen Entwicklung als zentrale Herausforderung und als ein Gebot der Generationengerechtigkeit, müsste man Abgabenprivilegierung bei Sozialversicherungsbeiträgen und steuerfinanzierte Bezuschussung von Löhnen an sich, soweit dies eben möglich ist, auf *Sondersituationen* beschränken, dürfte diese nicht zum Modell erheben und müsste den Dingen eine Richtung geben, die sich selbst trägt. Man könnte prüfen, ob nicht die Privilegierung von *Brutto*einkommen ein gangbarer Weg wäre, der mit den steuerrechtlichen Rahmenbedingungen in Einklang gebracht werden könnte.

bb) Es erscheint sinnvoll, die *Ausarbeitung* des Mindestlohns einer politisch unabhängigen Kommission zu überlassen, in der auch die arbeitsrechtlichen Koalitionen vertreten sind.[376] Dadurch ließe sich

---

[374] Vgl. oben S. 11.

[375] Koalitionsvertrag (Fn. 74), S. 19.

[376] Vgl. *Bispinck/Schulten*, WSI-Mitteilungen 2008, 151 (154 f.); *Bosch/Weinkopf*, Gesetzliche Mindestlöhne auch in Deutschland? 2006, S. 49; *Schäfer* (Fn. 251), S. 25, mit Verweis auf die Praxis der Mindestlohnfestlegung in Großbritannien.

eine gewisse Isolierung vom politischen Geschehen, insbesondere in Wahlkampfzeiten, erreichen. Dieser Kommission sollte auch die Aufgabe zukommen, die Auswirkungen des Mindestlohns auf den Arbeitsmarkt zu evaluieren und entsprechende Anpassungen (etwa an die Preissteigerungsrate) vorzuschlagen.

cc) Im Zusammenhang mit der Einführung sollte den Unternehmen eine Vorlaufzeit gewährt werden.

III. Neue Selbständigkeit

1. Problemskizze und Themenbezug

a) Die Selbständigkeit hat in den letzten 25 Jahren in Deutschland ihr Gesicht verändert.[377] Insbesondere die Zahl der sog. *Solo-Selbständigen („own-account workers"),* also der Selbständigen, die regelmäßig keine Mitarbeiter beschäftigen, sondern nur sich selbst sozusagen „vermarkten", ist in Deutschland von 1991 bis 2005 um etwa 66% auf 2,29 Mio. angestiegen.[378] Es ist davon auszugehen, dass die Solo-Selbständigkeit an der mit eigenen Beschäftigten und eigener unternehmerischer Organisationen tätigen Selbständigkeit inzwischen vorbeigezogen ist.[379] Ein guter Teil der Solo-Selbständigen ist *nicht marktorientiert,* hat also keinen eigenen Kundenkreis, sondern einen oder zwei Auftraggeber. Ein nicht unbeträchtlicher Teil dieser Selbständigen kommt aus der Arbeitslosigkeit. Kleine Selbständigkeit, insbesondere Solo-Selbstständigkeit, findet man überwiegend im *Dienstleistungssektor.*

b) Es ist unzweifelhaft, dass die neue Form der Kleinen (Solo-)-Selbständigkeit oftmals nicht mit wirtschaftlicher Prosperität bei den Selbständigen einhergeht; sie ist *typischerweise mit geringem Ertrag* verbunden. Unter allen Selbständigen ist der Anteil Selbständiger mit monatlichen Nettoeinkünften unter 1100 € im Zeitraum von

---

377 Überblick zur Thematik aus dem Blickwinkel des Sozialrechts bei *Ruland*, ZRP 2009, 165 ff.

378 Siehe Statistisches Bundesamt (Hrsg.), Sachverständigenrat zur Begutachtung der gesamtwirtschftlichen Entwicklung, Jahresgutachten 2006/2007, 2006, S. 265. Aufschlussreiche Tabellen zu Selbständigen mit Arbeitnehmern, Solo-Selbständigen, geschlechtsspezifischen und sektoralen Unterschieden in Europa bei Eurostaat (Hrsg.), Statistik kurz gefasst. Bevölkerung und soziale Bedingungen, 30/2007. Ende 2008 betrug die Gesamtanzahl 2,1 Mio, vgl. Statistisches Bundesamt (Hrsg.) (Fn. 5), S. 7.

379 Laut Mikrozensus betrug der Anteil Solo-Selbständiger an allen Selbständigen Ende 2008 ca. 55%, vgl. Statistisches Bundesamt (Hrsg.) (Fn. 378), S. 8.

1995 bis 2005 von 24% auf 32% angestiegen.[380] Es kann davon ausgegangen werden, dass hinreichende Altersvorsorge in sehr vielen Fällen unterbleibt. Der Kleinen Selbständigkeit fehlen oft die für die selbständige Altersvorsorge notwendigen finanziellen Mittel. Für diesen Personenkreis ist Armut im Alter ein augenfälliges Risiko.

c) Das Phänomen wirft sowohl *arbeitsrechtliche* Fragen als auch die Frage nach der *sozialen Absicherung* dieser Kleinen Selbständigkeit auf. Was das Sozialrecht angeht: Derzeit ist nur etwa ein Viertel der Selbständigen in einem obligatorischen Altersvorsorgesystem (also in der gesetzlichen Rentenversicherung (siehe § 2 SGB VI), der Alterssicherung der Landwirte, der Künstlersozialversicherung und in berufsständischen Versorgungswerken der verkammerten freien Berufe) abgesichert; es dürften annähernd 3 Mio. Selbständige nicht in einem obligatorischen Alterssicherungssystem versichert sein.[381] Auch bei den anderen bei abhängiger Beschäftigung gesetzlich erfassten Risiken bleibt die Sicherung dieses Personenkreises der Selbständigen hinter der Absicherung obligatorisch Versicherter zurück.

d) Die Relevanz der Problematik im hier interessierenden Zusammenhang ergibt sich aus Folgendem: Um eine Erscheinungsform der *Abkehr vom Normalarbeitsverhältnis* geht es deshalb, weil man annehmen kann, dass Kleine Selbständigkeit, insbesondere Solo-Selbständigkeit, in vielen Fällen aus unterschiedlichen Gründen an die Stelle von abhängiger Arbeit tritt. Zum anderen geht es um *Diskontinuität* von Erwerbsbiographien. Es kommt immer häufiger vor, dass sich Zeiten selbständiger Tätigkeit und Zeiten abhängiger Beschäftigung abwechseln; viele Kleine Selbständige haben aus Zeiten abhängiger Beschäftigung Rentenanwartschaften in der gesetzlichen Rentenversicherung. Es nehmen ferner die Fälle zu, in denen neben einer abhängigen Beschäftigung eine selbständige Tätigkeit (zumindest zeitweise) ausgeübt wird.

2. Wesentliche Ergebnisse

a) Die Problemdarstellung mit dem erhobenen Befund und die Vorschläge des Gutachtens mussten wegen des zwingend vorgegebenen Umfangs der Veröffentlichung ausgegliedert und an anderer Stelle veröffentlicht werden.[382] *Kurz zusammengefasst* ist im Allge-

---

[380] *Sachverständigenrat* (Fn. 378), S. 266.

[381] Vgl. *Sachverständigenrat* (Fn. 378), S. 268; *Fachinger/Oelschläger/Schmähl*, Alterssicherung von Selbständigen, 2004, S. 230f.

[382] Siehe oben S. 21f. und RdA 2010, Heft 3.

meinen festzuhalten, dass die Unterscheidung zwischen abhängiger Beschäftigung und Selbständigkeit *an Trennschärfe* verloren hat. Das zeigt sich sowohl aus dem Blickwinkel der Selbständigkeit als auch aus dem des Arbeitsverhältnisses. Namentlich die Schutzgründe des Arbeitsrechts[383] begegnen heute auch außerhalb des Arbeitsverhältnisses. Am dringlichsten ist die Frage der *Absicherung der Kleinen Selbständigkeit* gegen die Risiken des Alters und der Invalidität. Hier besteht, wie im Gutachten dargelegt ist, ein unmittelbarer Handlungsbedarf. In diesem Punkt zu handeln, liegt nicht nur im Interesse der Einzelnen, die sich in einer mit abhängig Beschäftigten vergleichbaren Situation befinden und an Sicherung im Alter interessiert sein müssen. Eine funktionierende Altersvorsorge mit hinreichendem Ertrag im Bereich der Kleinen Selbständigkeit liegt wesentlich auch im Interesse der Allgemeinheit, wenn man, zumal in einer alternden Gesellschaft, die Allgemeinheit der Zukunft vor den das Steueraufkommen belastenden ansteigenden Kosten der Grundsicherung demnächst Alter bewahren möchte; es ist inzwischen erkannt, dass es der Sozialversicherung und zumal der Rentenversicherung wesentlich auch um den Schutz der Allgemeinheit vor mangelnder Risikovorsorge Einzelner geht.

b) Das Gutachten *empfiehlt* (im Hinblick auf die begrenzte Thematik abseits eventueller politischer Präferenzen für eine zukünftige Gestaltung der Alterssicherung im Grundsätzlichen), Kleine Selbständigkeit, die bisher nicht von verpflichtender Altersvorsorge erfasst ist, kurzfristig in die gesetzliche Rentenversicherung einzubeziehen. Ein einfacher und für die zeitnahe Umsetzung geeigneter Weg liegt darin, das Tatbestandsmerkmal der im Wesentlichen nur für einen Auftraggeber ausgeübten Tätigkeit in § 2 S. 1 Nr. 9b) SGB VI zu streichen. Damit wäre die Solo-Selbständigkeit, die nicht anderweitig, namentlich in berufsständischen Versorgungswerken, abgesichert ist, von der gesetzlichen Rentenversicherung erfasst. Die Beitragstragung sollte, dem bisherigen Modell folgend, allein den Selbständigen auferlegt sein; es erscheint gesellschaftspolitisch sinnvoll, die Trennlinie zwischen abhängiger Beschäftigung und Selbständigkeit aufrechtzuerhalten und nicht durch Beitragsanteile aus anderen Quellen die Bedeutung der Nachhaltigkeit jeder Selbständigkeit zu verdecken. Nur Selbständigkeit, die sich für die Selbständigen rechnet, bleibt am Ende ohne nachteilige Folgen auch für die Gesellschaft. Für Existenzgründer sollten vorübergehend ermäßigte Beiträge gelten.

---

[383] Zu diesen *Wiedemann* (Fn. 192), S. 11 ff.

C. Perspektiven einer Entwicklung der Arbeitsbeziehungen und der sozialen Sicherheit

Die Untersuchung der wichtigsten atypischen Beschäftigungsverhältnisse und des Arbeitsverhältnisses mit Ertragsschwäche führte zu einzelnen *Kritikpunkten* in Bezug auf Arbeitsrecht und Sozialrecht und zu daraus entwickelten *Bewertungen* und *Empfehlungen* für die arbeitsrechtliche und die sozialrechtliche Gestaltung. In Bezug auf die Absicherung Kleiner Selbständigkeit wurde ein kurzfristig umsetzbarer Reformweg aufgezeigt. In Bezug auf alle Wege der Abkehr vom Normalarbeitsverhältnis, die kritisch gewürdigt wurden (abgabenprivilegierte geringfügige Beschäftigung, Leiharbeit, ertragsschwaches Arbeitsverhältnis) und in Bezug auf die Kleine Selbständigkeit zeigten sich im geltenden Rechtszustand *zwei ungünstige Gemeinsamkeiten*: Kennzeichen der beschriebenen Phänomene ist zum einen die regelmäßig geringe Prosperität der betreffenden Arbeitsbeziehungen (mit ihren vielfältigen unerwünschten Auswirkungen), zum anderen werden Lasten in die Zukunft weitergeschoben, die aus dem Steueraufkommen der Zukunft eines Tages ausgeglichen werden müssen. Beides hat auch Bedeutung für die Frage, ob der Rechtsrahmen des Arbeitsrechts und des Sozialrechts im Zusammenhang mit dem Ziel, das seit vielen Jahren große gesellschaftliche Problem der Arbeitslosigkeit zu bekämpfen, richtig entwickelt worden ist.

I. Ausgangspunkt

Sowohl den Kritikpunkten als auch den Bewertungen und Empfehlungen zu den untersuchten Phänomenen lagen, was nicht vermeidbar ist, *konzeptionelle Annahmen* zugrunde, die im Folgenden nochmals anzusprechen sind. Diese Annahmen sind selbstverständlich ihrerseits diskussionswürdig: Die Thematik „Abschied vom Normalarbeitsverhältnis? – Welche arbeits- und sozialrechtlichen Regelungen empfehlen sich im Hinblick auf die Zunahme neuer Beschäftigungsformen und die wachsende Diskontinuität von Erwerbsbiographien?" ist ein *Teilaspekt der allgemeineren und umfas-*

senderen Aufgabe, die Arbeitsbeziehungen und die soziale Sicherheit zukunftsfähig fortzuentwickeln. Dies wiederum erfolgt vor dem Hintergrund verfassungsrechtlicher Wertentscheidungen und grundsätzlicher Wertmaßstäbe.

Theoretisch wäre es denkbar, in der Zukunft andere Wege zu gehen: Im Sozialrecht könnte man etwa die bisherigen Modelle der Altersvorsorge durch eine allgemeine und einheitliche steuerfinanzierte Grundsicherung für alle ersetzen – was derzeit aber offenbar niemand ernstlich umzusetzen plant, weshalb sich Konzepte nicht finden und eine entsprechende grundsätzliche Diskussion nicht geführt wird. Was das Arbeitsrecht angeht, könnte man etwa, im Ansatz begrenzter, in dem in Österreich praktizierten Sinn den Kündigungsschutz durch eine Abfindungskonzeption mit portablen Abfindungsansprüchen ersetzen, oder man könnte, wie in Dänemark, den Kündigungsschutz zurücknehmen und dies durch eine großzügigere Arbeitslosenunterstützung ausgleichen. Mit letzterem würde man allerdings in diesem Punkt eine Kehrtwende vollziehen, da die Absicherung bei Arbeitslosigkeit im Zusammenhang mit den Gesetzen der *„Agenda 2010"* soeben zurückgefahren, das deutsche Recht also in eine andere Richtung entwickelt worden ist. Das Anliegen, Verlässlichkeit des Rechtsrahmens der Arbeitsbeziehungen und der Systeme der sozialen Sicherheit zu vermitteln, steht häufigem Paradigmenwechsel entgegen. Man wird in Zukunft die verschiedenen Lösungswege in der Europäischen Union mehr als früher vergleichen und dies bei der Fortentwicklung des Rechts berücksichtigen.

1. Die hier vorgelegte Untersuchung geht, wie schon deutlich geworden ist, von einem konservativen Ansatz aus: Die Empfehlungen zur Fortentwicklung der Arbeitsbeziehungen und der sozialen Sicherheit im Hinblick auf das Thema „Normalarbeitsverhältnis, neue Beschäftigungsformen, Diskontinuität" erfolgen vom *Ausgangspunkt des historisch gewachsenen, in langen Jahren entwickelten Ist-Zustands des Privatrechts und des sozialrechts,* welche vor dem Hintergrund verfassungsrechtlicher Wertentscheidungen und grundsätzlicher Wertmaßstäbe gleichermaßen auf die Leistungskraft setzen und nicht auf den Versorgungsstaat. Dabei können Privatrecht und Sozialrecht nicht isoliert betrachtet werden, also nicht das Privatrecht ohne das Sozialrecht[384] und nicht das Sozialrecht ohne das Privatrecht.[385]

2. Der historisch gewachsene Ist-Zustand ist auch in Bezug auf die Fortentwicklung des *Rechts der sozialen Sicherheit* von wesentlicher rechtlicher und politischer Bedeutung. Er ist von rechtlicher Bedeutung schon deshalb, weil einer grundlegenden Umgestaltung in bestimmten Hinsichten Verfassungsrecht (insbesondere im Bereich der Rentenversicherung) entgegenstehen kann. Der Ist-Zustand ist sodann von politischer Bedeutung zum einen, weil insbesondere die entwickelten und in vielfältiger Verschränkung stehenden Zweige

---

[384] Das übersieht etwa *Picker,* ZfA 2002, 469ff.

[385] Das wird vielfach von denen nicht berücksichtigt, die durch das Verändern an Stellschrauben des Sozialrechts arbeitsmarktpolitische Effekte zu erzielen suchen. Darstellung von Modellen bei *Spellbrink* (Fn. 87), S. 163 (166ff.).

der Sozialversicherung mit Respekt als „große Tanker“ einzuschätzen sind, bei denen niemand ohne beträchtliche Verwerfungen das Ruder herumreißen und auf ganz anderen Kurs gehen wird. Große strukturverändernde Umbauten des Rechts der sozialen Sicherheit sind höchst anspruchsvoll und immer von beträchtlichen unvorhergesehenen nachteiligen Wirkungen begleitet. Zum anderen beruht der historisch gewachsene Ist-Zustand des Rechts der sozialen Sicherheit, wie schon angesprochen, auf dem Gedanken der *Eigenverantwortung und der Vorsorge* und auf einer *Absage an den Versorgungsstaat;* der Staat greift vor dem Hintergrund der Versicherung nur im Sonderfall helfend ein, auch wenn eine über dreißig Jahre währende strukturelle Massenarbeitslosigkeit diesen Sonderfall nicht als einen begrenzten Ausnahmefall kennt. Was gleichwohl festzustellen und in den vorangehenden Untersuchungen an vielen Stellen angeklungen ist, ist ein gerade im Hinblick auf den hier interessierenden Themenbereich längst in Gang gesetzter – nach hier vertretender Auffassung zu hinterfragender – *stiller Wandel zu immer mehr steuerfinanzierter Lastentragung mit Versorgungscharakter,* der im Bereich des Privatrechts Marktverzerrungen hervorruft, vor allem aber die Sozialversicherung (als das nach wie vor primäre und als solches ersichtlich nicht prinzipiell in Frage gestellte Sicherungssystem) aushöhlt. Den beschäftigungspolitisch motivierten gesetzlichen Erleichterungen der Abkehr vom Normalarbeitsverhältnis, namentlich durch die rechtlich vermittelte Begünstigung der geringfügigen Beschäftigung, aber auch den durch die Rechtsordnung ermöglichten tatsächlichen Entwicklungen in der Leiharbeit und im Niedriglohnbereich, *fehlt die konzeptionelle Abstimmung mit dem geltenden System der sozialen Sicherheit.* Um die Arbeitslosigkeit abzumildern, hat auch der Gesetzgeber an einer Erosion der versicherungspflichtigen Beschäftigung mitgewirkt, die in tatsächlicher Hinsicht, namentlich durch einen in der Tendenz wachsenden Niedriglohnsektor und durch zunehmende Kleine Selbständigkeit, ohnehin gegeben ist. Dabei sind die mit dieser Entwicklung zugleich verbundenen Steuerlasten, wie zu wiederholen ist, nur zum Teil Lasten der Gegenwart (etwa in Gestalt von Transferleistungen der Grundsicherung, Kinderzuschlägen und Wohngeldleistungen). Schwerer wiegen die Steuerlasten, die deswegen zukünftig von den jetzt Jungen zu tragen sein werden – soweit das in einem heute hoch verschuldeten Staat morgen in einer alternden Gesellschaft überhaupt annähernd möglich sein wird.

3. Im Hinblick auf den angedeuteten stillen Wandel zu steuerfinanzierter Lastentragung ist die Frage zu stellen, ob nicht die *Vorsorge durch Versicherung,* auch in der Form eines Umlagemodells wie bei der deutschen Sozialversicherung, die gegenüber der Steuer-

finanzierung bessere Form der Vorsorge ist und bleibt. So ist es, worauf nochmals hingewiesen sein soll, der Versicherung zuzuschreiben, dass wir seit Jahren die Zukunftsprobleme der gesetzlichen Rentenversicherung in einer alternden Gesellschaft diskutieren und bereits vielfältige Schritte zur Anpassung unternommen haben, während etwa die Frage der zukünftigen Finanzierung der steuerfinanzierten Beamtenpensionen in derselben alternden Gesellschaft und bei derselben Staatsverschuldung verhältnismäßig weniger Aufmerksamkeit findet. In keinem Bereich hat man sich so konsequent auf den demographischen Wandel vorbereitet wie im Bereich der gesetzlichen Rentenversicherung.

Was die hier erörterten Wege der Abkehr vom Normalarbeitsverhältnis angeht, macht in diesem Sinn gerade die Versicherung plausibel, wie sehr die typischerweise niedrigen Erträge in geringfügiger Beschäftigung, in der Leiharbeit, im Bereich der niedrig entlohnten Beschäftigung und in der Kleinen Selbständigkeit abseits aller Gerechtigkeitsfragen Lasten in die Zukunft schieben und deshalb heute nach Lösungen rufen, die sonst morgen unter möglicherweise ungünstigeren Bedingungen gefunden werden müssten. Die Versicherung, auch wenn sie umlagefinanziert ist, verdeutlicht, dass es ein Niveau gibt, unter welches man, wenn man auf der Grundlage der geltenden Sozialrechtskonzeption und mit derselben gesellschaftlichen Prosperität wie bisher voranschreiten möchte, nicht absinken darf. Hier ist zu bedenken, dass bei einer umlagefinanzierten Rentenversicherung, die keine Rücklagen bildet, die Absicherung auf der *Kontinuität der Versicherung* beruht. Eine nicht beantwortete Frage ist auch, wie man aus Steuermitteln bei einer Tendenz der Verfestigung schwächer werdender Erträge aus abhängiger Beschäftigung und verbreitet niedrigen Erträgen eines anwachsenden Segments Kleiner Selbständigkeit die fehlenden Versicherungsmittel kompensieren könnte. Wie immer die soziale Absicherung der Gesellschaft konzipiert sein mag, wird die erwirtschaftete Lohnsumme, aus der *de lege lata* die Sozialversicherung gespeist wird, bei der Finanzierung jeglicher Vorsorge oder anders gearteter Leistung stets eine entscheidende Rolle spielen.[386] Zu bedenken ist schließlich, dass die, auch umlagefinanzierte, Versicherung Ansprüche und Anwartschaften vermittelt, die nach allen Kräften zu erfüllen sind, während Steuerfinanzierung allenfalls Erwartungen begründet, um deren Valutierung es gerade im Bereich des Sozialen und zumal im Hinblick auf die Schwachen in der Gesellschaft[387] demnächst schlecht bestellt sein

---

[386] Der wesentliche Anteil des gesamten Volkseinkommens entfällt auf die Arbeitnehmerentgelte (2008: ca. 65%), vgl. *Sachverständigenrat* (Fn. 2), S. 361 (Tabelle 11).

[387] Zutreffend die Einschätzung im Koalitionsvertrag (Fn. 74), S. 19.

könnte. Sollte, wie man ja weithin annimmt und wie zu Recht auch im Vordergrund der Zielvorstellung der Koalitionsvereinbarung[388] und etwa des Berichts der EU-Kommission über die Beschäftigung in Europa 2008[389] festgehalten ist, durch Bildung und Qualifikation die Arbeitsplatzqualität mit positiver Wirkung auf Wirtschaft und Löhne verbessert werden können, müssen Anstrengungen in diese Richtung gehen und bald eingeleitet werden. Die Anhebung des Qualitätsniveaus auf Seiten der Unternehmer und der Mitarbeiter könnte dabei angesichts besserer Erträge in Unternehmen und Arbeit zugleich die auskömmliche Vergütung der weiterhin benötigten einfachen Tätigkeiten erlauben. Dies wird stets auf mit Leistung verbundene Solidarität angewiesen bleiben. Man müsste erwirtschaften und erarbeiten, dass auch Leute sozusagen „mitlaufen" können.

4. Die vorgeschlagenen Maßnahmen würden zugleich der zunehmenden *Diskontinuität von Erwerbsbiographien* entgegenwirken. In geringfügiger Teilzeitbeschäftigung, in der Leiharbeit und im Niedriglohnsektor zurückgelegte Zeiten ebenso wie Zeiten in Kleiner Selbständigkeit würden weniger große Lücken in der Vorsorge zurücklassen. Es sollte geprüft werden, ob nicht für Zeiten der Unterbrechung der Erwerbstätigkeit durch Arbeitslosigkeit im Anwendungsbereich des SGB II systemkonform höhere Beitragsleistungen aus Steuermitteln der Gegenwart an die Sozialversicherung erbracht werden.

5. Das zu den Formen atypischer Beschäftigung, zu ertragsschwachen Arbeitsverhältnissen und zur sozialen Absicherung der Kleinen Selbständigkeit Dargelegte beruht im Hinblick auf das *Arbeitsrecht* auf der gedanklichen Prämisse eines behutsamen Umgangs mit dem Erreichten, welches auch Ausdruck einer gewachsenen Arbeitsrechtskultur ist. Es geht von der Vorstellung aus, dass ordnungspolitisch die Rahmenbedingungen für eine eigenverantwortliche und nachhaltige Existenzsicherung zu gestalten sind, wobei Arbeitsplatzsicherheit, wie sie sich im Lauf langer Jahre herausgebildet hat, und existenzsichernde Erträge zu Motivation und Leistungsbereitschaft beitragen.[390] Von diesem Ausgangspunkt sind im Folgenden über das zu den einzelnen Wegen der Abkehr vom Normalarbeitsverhältnis hinaus im Hinblick auf Perspektiven einer Entwicklung der Arbeitsbeziehungen und der sozialen Sicherheit im hier gestellten Themen-

---

388 Koalitionsvertrag (Fn. 74), S. 59ff.

389 Vom 18. 11. 2008, KOM (2008) 758 endgültig, S. 9f.

390 Andere Vorstellungen sind vor allem unter deutschen Ökonomen verbreitet. Zu einer demgegenüber diametralen ökonomischen Analyse der Arbeitsbeziehungen in Japan vgl. *Atsushi Tsuneki*, in: Ott/Schäfer (Hrsg.), Ökonomische Analyse des Arbeitsrechts, 2001, S. 279ff.

zusammenhang noch einige rechtliche Gesichtspunkte anzusprechen.

II. Deregulierung des Normalarbeitsverhältnisses zur Eindämmung atypischer Beschäftigung?

Namentlich der *Sachverständigenrat* verbindet in seinem Jahresgutachten 2008/2009[391] seine kritische Einschätzung der Tendenz zur Ausdehnung atypischer Beschäftigungsverhältnisse mit dem Vorschlag einer Deregulierung des Arbeitsmarkts. Die gestellte und vielfach bejahte Frage geht dahin, ob nicht der mit atypischer Beschäftigung verbundenen ungleichen Verteilung von Chancen und Risiken auf dem Arbeitsmarkt durch Verringerung der Regulierungsdichte auf dem Arbeitsmarkt allgemein entgegengewirkt werden sollte, so dass am Ende eine höhere Durchlässigkeit für alle Arbeitnehmer zugunsten eines Normalarbeitsverhältnisses entsteht und auf diese Weise indirekt die Bedeutung atypischer Beschäftigungsverhältnisse zurückgehen würde.[392] *Preis* hat in seinem Gutachten für den 67. DJT in diesem Sinn vorgeschlagen, dem Phänomen zunehmend segmentierter Arbeitsmärkte und den mit dieser Entwicklung verbundenen Gefahren einer weiteren Ausweitung atypischer Beschäftigungsformen durch „kohärente Maßnahmen zur Anpassung des Normalarbeitsvertrags im Sinne der Ermöglichung größerer Flexibilität sowohl für die Arbeitnehmer als auch für die Unternehmen" zu begegnen.[393] Dieser Gedanke klingt auch im *Grünbuch*[394] an. Auch hier wird überlegt, das unbefristete Normalarbeitsverhältnis durch dessen Flexibilisierung zu stärken, andererseits die Situation atypisch Beschäftigter zu verbessern. Allgemein wird nicht selten „Flexicurity" in diesem Sinne verstanden.[395]

1. Es leuchtet ein, dass die Gründe dafür, auf atypische Beschäftigungsverhältnisse auszuweichen, in dem Maß abnehmen, in welchem das Normalarbeitsverhältnis von Regulierungen befreit wird, denen man mit der Begründung atypischer Beschäftigungsverhältnisse aus dem Weg gehen möchte und nach erfolgter Deregulierung namentlich der geringfügigen Beschäftigung, der Leiharbeit und auch des

---

[391] Siehe Fn. 2.

[392] Siehe stellv. *Sachverständigenrat* (Fn. 2), S. 267, 307ff. Im Arbeitsrecht pointiert in diesem Sinn *Picker*, ZfA 2002, 469 (486ff.).

[393] *Preis* (Fn. 233), S. B 28ff.

[394] Grünbuch (Fn. 7), S. 8.

[395] Vgl. stellvertretend *Walwei/Werner*, in: Ott/Schäfer (Hrsg.), Ökonomische Analyse des Arbeitsrechts, 2001, S. 308ff.

Befristungsrechts aus dem Weg gehen kann. Gleichwohl erscheint evident, dass der skizzierte Gedankengang *von der zur Lösung aufgegebenen Sachfrage ablenkt* und eine fragwürdige Verknüpfung herstellt: Die Sachfrage ist so alt wie das Arbeitsrecht selbst und geht dahin, welche arbeitsrechtliche Regulierung geboten ist oder im Rahmen des Gestaltungsspielraums des Gesetzgebers sinnvoll erscheint und welche nicht. Diese Frage war im Rahmen der hier zu behandelnden Thematik für atypische Beschäftigungsverhältnisse aufzuarbeiten, und sie wird von jeher für das Normalarbeitsverhältnis (insoweit über den hier vorgegebenen Themenzusammenhang weit hinaus) streitig diskutiert. Die *Versöhnung von Normalarbeitsverhältnis und atypischer Beschäftigung* ist der Rechtsordnung dabei jedoch kein Anliegen. Zu fragen ist im hier aufgegebenen Themenzusammenhang vielmehr, inwieweit der für den Bereich der neuen Beschäftigungsformen geschaffene Rechtsrahmen die Interessen der Arbeitgeber nach Flexibilität, der Arbeitnehmer nach Sicherheit und der Gesellschaft nach Gerechtigkeit und langfristiger Prosperität zum Ausgleich bringt. Dieselbe Frage stellt sich, über den hier gegebenen Zusammenhang hinaus, für das Normalarbeitsverhältnis. Dabei ist eher der bestehende und auf geschichtlicher Entwicklung beruhende Rechtsrahmen des Normalarbeitsverhältnisses im Hintergrund der Bewertung der neuen Beschäftigungsformen zu denken als umgekehrt die Frage zu stellen, ob nicht ein in den letzten Jahren – in manchen Hinsichten mit flotter Hand – gefördertes Wesen neuer Beschäftigungsformen die verhältnismäßig umstandslose Anpassung des Normalarbeitsverhältnisses zur Verringerung von Dissonanzen gebieten könnte.

Aus rechtswissenschaftlicher Perspektive müssen deshalb auch wirtschaftswissenschaftliche Überlegungen irritieren, die auf der Grundlage empirischer Untersuchungen den Zusammenhang zwischen Rigiditäten auf Arbeitsmärkten und der Verbreitung atypischer Beschäftigung aufzeigen und (trotz des Hinweises darauf, dass eine diesbezügliche mögliche Kausalität empirisch außerordentlich schwierig zu testen sei) daran verhältnismäßig kurzer Hand die Empfehlung einer Deregulierung des Normalarbeitsverhältnisses, insbesondere im Hinblick auf den Kündigungsschutz, anbinden.[396] Möglicherweise haben diese Überlegungen allein den Arbeitsmarkt im Blickfeld. Der Gesetzgeber könnte sich auf eine derartige Sicht nicht beschränken, denn ihm ist die Ausgestaltung des Arbeitsrechts mit dem Ziel gerechter und zukunftsfähiger gesellschaftlicher Bedingungen *in allen Hinsichten* aufgegeben.

2. Auf einem anderen Blatt steht, dass jede Gestaltung des Rechtsrahmens für das Normalarbeitsverhältnis und für atypische Beschäftigung am Ende möglichst stimmig sein sollte. Insoweit wurde zu atypischen Beschäftigungsverhältnissen, insbesondere mit Bezug auf die abgabenprivilegierte geringfügige Beschäftigung und in Bezug

---

[396] Siehe die Darlegungen des *Sachverständigenrats* (Fn. 2), S. 307 ff.

auf die Leiharbeit, auf Problempunkte hingewiesen. Würde man den Problempunkten in dem empfohlenen Sinn abhelfen, hätte das eine Verringerung der Unterschiede und damit zugleich der Ausweichanreize zur Folge.

3. Eine direkte sachbezogene Abhängigkeit besteht zwischen der Ausgestaltung des Kündigungsschutzes und der Attraktivität der Befristung:[397] Dereguliert man den Kündigungsschutz, wird Befristung in Abhängigkeit von der vorgenommenen Änderung weniger interessant; hält man am Status quo des Kündigungsschutzes fest, bestimmt die Ausgestaltung des Befristungsrechts über Attraktivität und Bedeutung dieser Form atypischer Beschäftigung.

4. Was die hier aufgegebene Thematik betrifft, führt das Dargelegte zugleich zur Beschränkung: Dazu, wie das Normalarbeitsverhältnis im Hinblick auf die Bewältigung der Zukunft am sachgerechtesten ausgestaltet sein könnte, ist eine Empfehlung nicht abzugeben.

III. Perspektiven des (Normal-)Arbeitsverhältnisses

1. Wie dargelegt,[398] tritt neben das Arbeitsverhältnis, welches der Erwerbsarbeit nach wie vor die Struktur gibt, eine neue Form der Selbständigkeit. Das betrifft insbesondere die Kleine Selbständigkeit in der Form der nicht marktorientierten Solo-Selbständigkeit, die einem oder zwei Vertragspartnern *zur Verfügung steht.* Trotz der dargelegten Wandlungen der Arbeitswirklichkeit wird der nach wie vor überwiegende Teil der persönlich Tätigen aber auf der Grundlage eines Arbeitsverhältnisses als Arbeitnehmer beschäftigt. Das Arbeitsverhältnis bleibt bei der arbeitsteiligen Aufgabenwahrnehmung auch gegenwärtig das prägende Rechtsverhältnis, auch wenn es durch veränderte tatsächliche Verhältnisse im Arbeitsleben und wegen der mit ihm zwangsläufig verbundenen Kosten für den Arbeitgeber unter Druck geraten ist. Es ist zu erwarten, dass sich das Arbeitsverhältnis gleichwohl auch in der absehbaren Zukunft behaupten wird: Es bildet nach wie vor die Rechtsform der Wahl, wenn die Wahrung unternehmerischer Chancen *arbeitsteiliges Handeln* voraussetzt und die Interessen des Arbeitgebers es erfordern, über die Arbeitskraft von Mitarbeitern *rechtlich abgesichert verfügen zu können.* Es kann ökonomisch vorteilhaft sein, die Verfügbarkeit von Mitarbeitern rechtlich durch Herstellung einer mit Weisungsrechten verbundenen (hierarchischen) Vertragsbeziehung abzusichern.

---

[397] Siehe oben S. 65.

[398] Siehe oben S. 101 ff. sowie (ausgegliedert) RdA 2010, Heft 3, unter III.

Daran ändert es nichts, wenn in den Fällen einer nicht marktorientierten Solo-Selbständigkeit ein beträchtliches Maß an Verfügbarkeit der Mitarbeit hergestellt werden kann. Die auch in der ökonomischen Analyse des Rechts betrachteten Gesichtspunkte der Transaktionskosten und der Produktivität werden in der Praxis gleichwohl vielfach für die Begründung eines Arbeitsverhältnisses sprechen.[399] Möglicherweise zeigt sich die Bedeutung des Arbeitsverhältnisses als Grundform des arbeitsteiligen Unternehmens auch daran, dass der Anteil der Arbeitnehmer an den insgesamt gesehenen Erwerbstätigen im Alter von 15 bis 64 Jahren im letzten Jahrzehnt in den 15 Mitgliedstaaten der alten EG zugenommen hat.[400] Unter dem Strich erscheint das Arbeitsverhältnis[401] und, wenn fragwürdige Anreize zur Begründung atypischer Beschäftigungsformen wie die Abgabenprivilegierung geringfügiger Teilzeitbeschäftigungsverhältnisse und die weite Öffnung des Gleichbehandlungsgrundsatzes für Abweichungen vom Gebot des *equal pay* zurückgeführt werden würden, das Normalarbeitsverhältnis[402] als ein zukunftsfähiges Rechtsinstitut.

2. Die vorgeschlagene Einführung einer obligatorischen Altersvorsorge der Kleinen Selbständigkeit, jedenfalls der Solo-Selbständigkeit, durch Einordnung in die gesetzliche Rentenversicherung und die damit verbundene Offenlegung der Vorsorgekosten, die bei jeder ordnungsgemäß angelegten Selbständigkeit anfallen, führt insbesondere den nicht marktorientierten Solo-Selbständigen (freien Mitarbeitern) die *Bedeutung eines hinreichenden Ertrags für jede Selbständigkeit* vor Augen. Auch deshalb erscheint es gesellschaftspolitisch sinnvoll, die Trennlinie zwischen abhängiger Beschäftigung auf der Grundlage eines Arbeitsverhältnisses und (echter) Selbständigkeit insoweit aufrechtzuerhalten und nicht durch Beitragsanteile aus anderen Quellen, insbesondere durch Steuerzuschüsse, die Bedeutung der Nachhaltigkeit jeder Selbständigkeit bei den Selbständigen und bei ihren Auftraggebern zu verdecken. Nur Selbständigkeit, die sich für die Selbständigen rechnet, bleibt am Ende ohne nachteilige Folgen auch für die Gesellschaft.

IV. Modell der Arbeitsbeziehungen

1. Auch die Thematik der Abkehr vom Normalarbeitsverhältnis mit ihren dargelegten Einzelproblemen steht vor dem Hintergrund der *gesellschaftspolitischen Grundfrage*, mit welchem Modell der Arbeitsbeziehungen man, zumal in einer *alternden Gesellschaft,* in einer durch Globalisierung gekennzeichneten Welt auf Dauer gesellschaft-

---

[399] Siehe näher mit Nachweisen *Rebhahn*, RdA 2009, 154 (163f.).

[400] Vgl. Europäische Kommission (Fn. 231), S. 156.

[401] Ebenso jüngst die Einschätzung von *Rebhahn*, RdA 2009, 236 (240).

[402] Insoweit anders die Einschätzung von *Rebhahn*, ZESAR 2009, 159 (163), der annimmt, man könne (gemeinschaftsweit) das Normalarbeitsverhältnis kaum mehr als Leitmodell bezeichnen.

liche und wirtschaftliche Prosperität erreichen kann.[403] Gerade das Phänomen der Abkehr vom Normalarbeitsverhältnis mit seinen Folgen, insbesondere für die Erträge der Arbeit Niedriglohnbeschäftigter, geringfügig Beschäftigter, Leiharbeitnehmer und Kleiner Selbständiger, beleuchtet dabei ein beträchtliches Zukunftsproblem mit gesellschaftlicher Sprengkraft. Mit dem Blick auf den Arbeitsmarkt und weniger auf andere, auch längerfristige Auswirkungen konzipierte Reformen und (mitunter kleinteilige) Veränderungen an „Stellschrauben" ohne gründlich erarbeitetes (gesellschaftliches, rechtliches, ökonomisches, ethisches) Konzept, die einen Ausbau des Niedriglohnsektors bezweckten und erreicht haben, lassen inzwischen die *Problematik der Ertragsschwäche von Arbeitsbeziehungen* allgemein[404] und einiger neuer Beschäftigungsformen im Besonderen deutlich werden. Aus Ertragsschwäche resultieren weder Beiträge zur Sozialversicherung noch Steuermittel noch Sparbeiträge zu *Riester-* oder *Rürup*-Renten, und ertragsschwache Arbeitsbeziehungen beflügeln auch weder Aufbruchstimmung noch Zukunftserwartungen bei Arbeitskräften (und Jungen), auf deren Leistungsmotivation und Verantwortungsbewusstsein Gesellschaft und Wirtschaft angewiesen sind. Dass benötigte Arbeit einen auskömmlichen Ertrag hat und unter zufrieden stellenden Umständen erbracht wird, ist in Demokratien unerlässlich.

2. Alle in diesem Gutachten näher untersuchten Beschäftigungsformen weisen in diesen Hinsichten Problempunkte auf. Was insbesondere den Ertrag der Arbeit in neuen Beschäftigungsformen und im Niedriglohnsektor angeht, muss es, wenn es um die zukunftsfähige Entwicklung der Arbeitsbeziehungen und nicht um die (auch strukturbedingt längerfristig gebotene) Hilfe in konkreten Bedarfsfällen mit ihren individuellen Nöten geht, als ein verfehlter Gedanke erscheinen, dass es für die Betroffenen ebenso wie für die Gesellschaft besser sei, wenn es überhaupt zu einer Beschäftigung kommt als wenn eine Einstellung unterbleibt.[405] Die gegenwärtige Bereitschaft, lieber ertragsschwache Arbeitsplätze zu schaffen und zu subventionieren als die Betroffenen der Arbeitslosigkeit zu überlassen, ist verständlich und vermag die Betroffenen mit der Gegenwart zum Teil zu versöhnen. Zukunftsfähig *als Modell* erscheint dies auf die Dauer aber nicht. Ein Modell arbeitender Armer *(working poor)* ist

---

[403] Siehe im Zusammenhang mit dem 67. DJT 2008 *Waltermann,* NJW 2008, 2529 (2530 f.).

[404] Nachteilige Wirkungen beschreibt etwa *Schäfer* (Fn. 251), S. 9 ff. Im Vorfeld war von diesen Wirkungen nicht die Rede, siehe stellv. nur *Hanau*, Verh. d. 63. DJT 2000, 2000, Gutachten C.

[405] So aber, stellv. und besonders pointiert, *Picker*, ZfA 2002, 469 (passim u. insb. S. 486).

nicht signifikant besser als arbeitslose Armut. Weshalb sollte man anstreben, der Realität einer strukturell verfestigten Arbeitslosigkeit, wie sie in Deutschland besteht, durch das insbesondere in Amerika anzutreffende, nicht minder problematische „Modell" eines „Jobwunders" mit nicht existenzsichernden Löhnen zu entfliehen? Die Fixierung auf die Senkung der Arbeitskosten in der Gegenwart, verbunden mit dem Vorschlag einer Aufstockung aus öffentlichen Kassen, müsste nicht nur die „Aufstocker" und deren Unterhaltsberechtigte aus demnächst aufzubringenden Mitteln bis zum letzten Atemzug begleiten. Diese Sichtweise bedenkt auch nicht den bei aller sinnvollen Kollektivierung der Rechtsordnung zugrunde liegenden *zentralen Wert der mündigen und starken Person,* der auch in der Verfassung angelegt ist und aus dem Subsidiarität folgt.[406] Die Einzelnen werden geschwächt, wenn sie Aufgaben abgeben, die sie selbst erledigen können. Eigeninitiative wird zurückgedrängt und Versorgungsdenken gefördert. Diese Tendenz untergräbt die Freiheit und die Kreativität der Person, und sie berücksichtigt in ihren konkreten Auswirkungen nicht die berechtigten Erwartungen derjenigen, denen die *Chance auf Zugehörigkeit und Verbleib in der Mittelschicht* über Jahre Perspektive geben konnte. Auch alle Bildungsbereitschaft lebt von Perspektiven, die vor allem in problematischen Verhältnissen Heranwachsende derzeit vielfach nicht erblicken können. Die Frage ist auch, ob nicht der gegenwärtige Rechtsrahmen des Privatrechts und des Sozialrechts mehr Teilhabechancen und mehr Möglichkeiten solidarischer Hilfe zur Selbsthilfe eröffnet als der beschäftigungspolitisch motiviert zuletzt eingeschlagene Weg mit seinen dargestellten ungünstigen Begleiterscheinungen.

3. Das bisherige, auf Eigeninitiative und Perspektive gegründete Modell setzt erfolgreiches Unternehmertum und (je nach Arbeitsplatz in verschiedener Weise) qualitativ hochwertige Mitarbeit voraus. Ohne beides dürfte Wohlstand, zumal in einer alternden Gesellschaft, nicht zu erreichen sein. Etwas überspitzt gesagt ist seit *Adam Smith* unstreitig, dass sich allgemeine Wohlfahrt nicht mit „Mildtätigkeit", heute in der Gestalt von Aufstockungsleistungen, erreichen lässt, sondern auf dem Streben der Einzelnen aufbaut; hinzuzulernen war nur, dass sich aus dem Streben der Einzelnen die Wohlfahrt keineswegs von selbst ergibt, sondern dies der ordnungspolitischen Gestaltung bedarf.

Auf dieser gedanklichen Grundlage gilt es *ordnungspolitisch* den Rechtsrahmen für die eigenverantwortliche und nachhaltige Exis-

---

[406] Siehe hierzu stellvertretend *Isensee*, Subsidiaritätsprinzip und Verfassungsrecht, 1968, insb. S. 191 ff., 268 ff.; ferner *Zacher* Hdb. des Staatsrechts, Bd. II, 3. Aufl., 2004, § 28 Rn. 27.

tenzsicherung zu schaffen. Gesicherten und auskömmlichen Arbeitsbeziehungen den rechtlichen Rahmen zu geben, ist *Aufgabe des Arbeitsrechts.* Wenn langjährige Vollzeitbeschäftigung am Ende nicht zu einer Vermeidung von Altersarmut führt, ist das nicht in erster Linie ein Problem der sozialen Sicherungssysteme. Es ist die Gestaltung der Rahmenbedingungen der Erwerbsphase, auf die es in erster Linie ankommt. Die sozialrechtliche subsidiäre Mindestsicherung der solidarischen Allgemeinheit greift ein, wenn der Einzelne in diesem Rechtsrahmen die Existenz aus eigener Kraft nicht sichern *kann.* Sozialrechtliche Mindestsicherung sollte aber nur zur Bewältigung von *Sondersituationen* eingesetzt, nicht zum Modell an sich werden. Ein solches Modell würde die Probleme am Arbeitsmarkt zum Teil verdecken und die Folgen ertragsschwacher Arbeitsverhältnisse in die Zukunft weiterwälzen. Dem Einzelnen wird bei allem eine Rolle zugewiesen, die dem Menschenbild der Verfassung nicht entsprechen dürfte. Es ist auch zu befürchten, dass die Vorteile subventionierter Beschäftigung einschließlich der steuerfinanzierten Subvention in nicht wenigen Fällen von Arbeitgebern *mitgenommen* würden; Mitnahmeeffekte bei Kombilöhnen und steuerfinanziertem Mindesteinkommen sind genauso schwer zu erkennen wie die oft beschworenen negativen Arbeitsmarktwirkungen von Mindestlöhnen.

4. Die aus den vorangehenden Untersuchungen folgende Frage ist, ob nicht gerade das auf Eigeninitiative und Perspektive gegründete bisherige Modell der Arbeitsbeziehungen, in dem das Normalarbeitsverhältnis den prominenten Platz innehat, in Verbindung mit einer Vorsorge durch Versicherung die Konkurrenzfähigkeit auch in Zukunft und in einem globalen Wettbewerb mit gewährleisten könnte. Dabei könnte man dem Gesichtspunkt nachgehen, ob nicht doch ein (plausibel erscheinender) positiver Zusammenhang zwischen Arbeitsplatzqualität, Produktivitätsniveau und Arbeitsmarktgesamtleistung besteht, wie ihn auch die EU-Kommission in ihrem Bericht über die Beschäftigung in Europa erkennt.[407] Die Politik müsste bestrebt sein, bei ihren begrüßenswerten und notwendigen vielfältigen Anstrengungen zur Bekämpfung der Arbeitslosigkeit, die seit fast dreißig Jahren im Zentrum der Bemühungen stehen, den geltenden Rechtsrahmen des Privatrechts und des Sozialrechts (wenn man dem nicht eine neue *Konzeption* entgegenstellen möchte) stets zu berücksichtigen.

---

[407] Europäische Kommission (Hrsg.), Employment in Europe 2008, S. 167. Vgl. auch Mitteilung der Kernaussagen des Berichts v. 18. 11. 2008, KOM (2008) 758 endgültig, S. 8.

Thesen

I.

1. *Atypische Beschäftigungsverhältnisse* entsprechen im Ausgangspunkt auf der einen Seite einem Flexibilisierungsbedarf der Unternehmen, auf der anderen Seite sind sie für Arbeitnehmer und für die Gesellschaft in bestimmten gesellschaftspolitisch relevanten Fällen zweitbeste Beschäftigungsverhältnisse. Vor allem die geringfügige Beschäftigung und die Leiharbeit sind in der Praxis typischerweise mit einem vergleichsweise geringen Ertrag und mit geringerem Schutz für die Beschäftigten verbunden. Der geringere Ertrag führt zu Nachteilen auch im Hinblick auf die sozialrechtliche Vorsorge. Das wiederum führt zu einer diskussionsbedürftigen Verlagerung von Gegenwartsproblemen in das Steueraufkommen der Zukunft. Im Ergebnis verdient das Normalarbeitsverhältnis den prominenten Platz.

II.

2. In Bezug auf die *sozialversicherungspflichtige Teilzeitbeschäftigung* besteht von allen neuen Beschäftigungsformen derzeit der geringste Anlass, den geltenden Rechtsrahmen zu verändern.

III.

3. Es ist zu prüfen, ob nicht die *Abgabenprivilegierung geringfügiger Beschäftigungsverhältnisse* beseitigt werden sollte. Deren beschäftigungspolitische Ziele und deren Vorteile für Arbeitgeber und Arbeitnehmer werden durch beträchtliche Nachteile für die Gesellschaft erkauft, zu denen insbesondere auch eine Verlagerung von Gegenwartsproblemen in das Steueraufkommen der Zukunft gehört. In diesem Zusammenhang ist auch die Regelung über die progressiv steigende Beitragspflicht der Arbeitnehmer in der Gleitzone auf den Prüfstand zu stellen.
4. Ein beträchtlicher Nachteil liegt auf die Dauer in der weit verbreiteten Ertragsschwäche der geringfügigen Beschäftigungsverhältnisse und in den damit verbundenen Nachteilen für die sozialrechtliche Vorsorge (in Gestalt ausbleibender Absicherungsvorteile und ausbleibender Beiträge), welche gegenwärtig und

vor allem zukünftig steuerfinanzierte Aufstockung erfordern. Mit dem Rechtsrahmen des Privatrechts kommt die Abgabenprivilegierung insofern in Konflikt, als sie die Marktmechanismen bei Abschluss des Arbeitsvertrags teilweise aushebelt. Dies trägt zu dem Phänomen der Ertragsschwäche geringfügiger Beschäftigungsverhältnisse bei.

IV.

5. Die gegenwärtige rechtliche Ausgestaltung der *Leiharbeit* führt im Prinzip zwar nicht zu einer Abkehr vom Normalarbeitsverhältnis, sondern zu einer begründeten Ausnahme vom Normalarbeitsverhältnis. Unmittelbarer Regelungsbedarf besteht jedoch im Hinblick auf die Verwirklichung des gesetzlich und gemeinschaftsrechtlich zum Grundsatz erhobenen und den beschäftigungspolitisch motivierten Deregulierungen der Leiharbeit als Schutzgebot gegenübergestellten Gleichbehandlungsgrundsatzes, der in Deutschland, insbesondere hinsichtlich der Leiharbeitnehmern gezahlten Entgelte, weitgehend ins Leere läuft. Das Gleichbehandlungsgebot sollte zwar für abweichende Regelungen durch Tarifvertrag geöffnet bleiben, die gem. §§ 3 I Nr. 3 S. 3, 9 Nr. 2 Hs. 4 AÜG vorgesehene Möglichkeit der arbeitsvertraglichen Bezugnahme sollte jedoch gestrichen werden. Um die Flexibilität der Leiharbeit zu gewährleisten, sollte der Gesetzgeber von den durch Art. 5 II RL 2008/104/EG eingeräumten Gestaltungsmöglichkeiten bezüglich des Arbeitsentgelts Gebrauch machen.

V.

6. Kündigungsschutz und *Befristungsrecht* stehen in einem Wechselbezug. Der Sache nach lässt sich die Beschäftigungsform des befristeten Arbeitsverhältnisses aus dem größeren Zusammenhang der (hier nicht gestellten) Thematik des Bestandsschutzes des Arbeitsverhältnisses nicht lösen. Der Gesetzgeber sollte von einer Befristung ohne den Nachweis eines Sachgrundes mit großer Zurückhaltung Gebrauch machen; Ausnahmen vom Bestandsschutz sollten insoweit am Verhältnismäßigkeitsgrundsatz orientiert sein. Es sollte geprüft werden, ob man nicht auf das Tatbestandsmerkmal des Alters in § 14 Abs. 3 TzBfG verzichtet.

VI.

7. *Ertragsschwache Normalarbeitsverhältnisse* nehmen in der Tendenz zu. Darin liegt eine Form der Abkehr vom Normalarbeitsverhältnis in seiner bisher prägenden Gestalt insofern, als der Er-

trag des Normalarbeitsverhältnisses nach dem geltenden Rechtsrahmen die Existenz sichern und zugleich die Absicherung durch Vorsorge in den Sozialversicherungssystemen gewährleisten soll. Diesem Rechtsrahmen steht, insbesondere was die auf Versicherung gegründete sozialrechtliche Vorsorge angeht, eine (auch nur in Ansätzen) erarbeitete alternative Konzeption derzeit nicht gegenüber.

8. Was Mindestlöhne angeht, erreichen die 2009 durch Reformen des AEntG und MiArbG eingeführten branchenbezogenen Mindestlöhne (bisher und auf absehbare Zeit) nicht alle Branchen und nicht alle betreffenden Arbeitsverhältnisse; die verwirklichte Konzeption ist auch kompliziert.
9. Bei der Frage, ob nicht ein flächendeckender allgemeiner Mindestlohn eingeführt werden sollte, ist aus rechtswissenschaftlicher Perspektive der Zusammenhang zwischen sozialrechtlichen Transferleistungen (namentlich Grundsicherung nach dem SGB II, Familienzuschlag gem. § 6a BKGG, Wohngeld) und dem privatautonom vereinbarten Arbeitsentgelt in den Blick zu nehmen. Dieser Zusammenhang von Sozialrecht und Privatrecht, der die Grundsicherung und andere Transferleistungen zu einem Kombilohnmodell macht, beeinflusst die Marktsituation am Arbeitsmarkt im Niedriglohnbereich, weil dies den Vertragsparteien die Möglichkeit eröffnet, die Transferleistungen mit Auswirkung auf den Bruttolohn bei Vertragsschluss einzukalkulieren. Dem kann durch einen allgemeinen Mindestlohn als fixierter Untergrenze entgegengewirkt werden.
10. Es entsteht in Verbindung mit diesem Zusammenhang eine verfehlte Abstimmung auch mit dem Rechtsrahmen des Sozialrechts, weil den zur notwendigen Bekämpfung der Arbeitslosigkeit gewählten Mitteln (der sozialrechtlich begründeten steuerfinanzierten Aufstockung in einem arbeitsrechtlich von Einschränkungen befreiten Niedriglohnbereich) die konzeptionelle Abstimmung mit dem auf Vorsorge durch Versicherung beruhenden geltenden System der sozialen Sicherheit fehlt. Der Gesetzgeber verstärkt so die (wegen der Lage am Arbeitsmarkt unter Bedingungen der Globalisierung ohnehin gegebene) Erosion der versicherungspflichtigen Beschäftigung.
11. Aus dem Blickwinkel der Rechtswissenschaft ist zu betonen, dass eventuelle (unsicher erscheinende) negative Arbeitsmarktwirkungen von Mindestlöhnen einen Aspekt neben einer ganzen Reihe von weiteren Aspekten abgeben. Es geht, über eventuelle Arbeitsmarktwirkungen hinaus, darum, ob nicht Mindestlöhne ratsam oder sogar notwendig sind,

- um ein in Deutschland entstandenes Funktionsdefizit der Tarifautonomie aufzuwiegen;
- um einem durch Transferleistungen bedingten gestörten Marktmechanismus etwas entgegenzusetzen;
- um das Notwendige in der Gewissheit zu gestalten, dass die Rechtsordnung mehr als eine lediglich nicht sittenwidrige Bezahlung gebietet;
- um einem in der Zukunft voraussichtlich zu Lasten der Jüngeren ansteigenden Grundsicherungsbedarf wegen nicht existenzsichernder Entgelte entgegenzuwirken;
- um einen sich demnächst verstärkenden Druck aus Arbeitsmigration abzumildern.

VII.

12. Es ist (im Hinblick auf die hier begrenzte Thematik abseits eventueller grundsätzlicher politischer Präferenzen für eine zukünftige Gestaltung der Alterssicherung im Grundsätzlichen) zu empfehlen, *Kleine Selbständigkeit,* die bisher nicht von verpflichtender Altersvorsorge erfasst ist, kurzfristig in die gesetzliche Rentenversicherung einzubeziehen. Ein einfacher und für die zeitnahe Umsetzung geeigneter Weg liegt darin, das Tatbestandsmerkmal der im Wesentlichen nur für einen Auftraggeber ausgeübten Tätigkeit in § 2 S. 1 Nr. 9b) SGB VI zu streichen. Damit wäre die Solo-Selbständigkeit, die nicht anderweitig, namentlich in berufsständischen Versorgungswerken, abgesichert ist, von der gesetzlichen Rentenversicherung erfasst.
13. Die Versicherungspflicht sollte so lange bestehen, bis die Versicherten Rentenanwartschaften oberhalb des Niveaus der Grundsicherung erlangt haben; dabei sollte ein Abstand als „Puffer" eingeplant werden.
14. Die Beitragstragung sollte, dem bisherigen Modell folgend, allein den Selbständigen auferlegt sein; es erscheint gesellschaftspolitisch sinnvoll, die Trennlinie zwischen abhängiger Beschäftigung und Selbständigkeit aufrechtzuerhalten und nicht durch Beitragsanteile aus anderen Quellen die Bedeutung der Nachhaltigkeit jeder Selbständigkeit zu verdecken. Nur Selbständigkeit, die sich für die Selbständigen rechnet, bleibt am Ende ohne nachteilige Folgen auch für die Gesellschaft. Für Existenzgründer sollten vorübergehend ermäßigte Beiträge gelten.

VIII.

15. Die zu geringfügiger Beschäftigung, Leiharbeit, Ertragsschwäche im Normalarbeitsverhältnis und Kleiner Selbständigkeit vorgeschlagenen Maßnahmen könnten zugleich der zunehmenden *Diskontinuität* von Erwerbsbiographien entgegenwirken. Der geltenden Konzeption des Sozialrechts würde entsprechen, bei längerer Arbeitslosigkeit die Vorsorgeaufwendungen zu erhöhen.
16. Was *Perspektiven* einer zukunftsfähigen Entwicklung der Arbeitsbeziehungen und der sozialen Sicherheit angeht, setzt der historisch gewachsene Ist-Zustand des Privatrechts und des Sozialrechts vor dem Hintergrund verfassungsrechtlicher Wertentscheidungen und grundsätzlicher Wertmaßstäbe auf die Leistungskraft und nicht auf den Versorgungsstaat. Dem entspricht der bestehende Rechtsrahmen mit dem privatautonomen Arbeitsvertrag und der Vorsorge durch Versicherung. Es ist zu prüfen, ob nicht das auf Eigeninitiative und Perspektive gegründete bisherige Modell der Arbeitsbeziehungen mit dem Normalarbeitsverhältnis im Zentrum die Konkurrenzfähigkeit auch in Zukunft und in einem globalen Wettbewerb mit gewährleisten könnte.
17. Ein längst in Gang gesetzter stiller Wandel zu immer mehr steuerfinanzierter Lastentragung mit Versorgungscharakter vollzieht sich ohne eine dafür bisher erarbeitete Konzeption. Dieser Entwicklung fehlt die konzeptionelle Abstimmung mit dem geltenden System der sozialen Sicherheit, welches wesentlich auf die Versicherung gegründet ist. Es ist, solange nicht der geltende Rechtsrahmen durch eine neue Konzeption ersetzt ist, geboten, dass sich im Einzelnen verfolgte sozialpolitische Maßnahmen zur Bekämpfung der Arbeitslosigkeit konzeptionell in den vorhandenen Rechtsrahmen einfügen.